BALTASAR GRACIÁN

EL COMULGATORIO

BALTASAR GRACIÁN

EL COMULGATORIO

Edición facsímil
(Zaragoza, Juan de Ybar, 1655)

Introducción de
AURORA EGIDO

GOBIERNO DE ARAGÓN
Departamento de Educación, Cultura y Deporte
*
INSTITUCIÓN «FERNANDO EL CATÓLICO»
Excma. Diputación de Zaragoza
Zaragoza, 2003

Publicación número 2.255
de la
Institución «Fernando el Católico»
(Excma. Diputación de Zaragoza)
Plaza de España, 2
50071 Zaragoza (España)
Tel. [34] 976 28 88 78/79
Fax [34] 976 28 88 69
ifc@dpz.es
http://ifc.dpz.es

El Gobierno de Aragón
y la Institución «Fernando el Católico»
agradecen a la Biblioteca Borja de San Cugat
del Vallés y a la Biblioteca de Catalunya,
su gentil colaboración en la edición de esta obra.

I.S.B.N.: 84-7820-707-4
Depósito Legal: Z-2.487/2003
Preimpresión: Ebrolibro, S. L.
Impresión: Cometa, S.A.

IMPRESO EN ESPAÑA-UNIÓN EUROPEA

INTRODUCCIÓN

Aunque haya diversos testimonios, que arrancan de Nicolás Antonio y que nos han llegado a través de Latassa, Palau, Jiménez Catalán y Correa Calderón, relativos a una edición madrileña de 1655, sin datos sobre el impresor de *El Comulgatorio* de Baltasar Gracián, lo cierto es que la única emisión conocida es la de la *princeps*, publicada ese año en Zaragoza por Juan de Ybar. El ejemplar más conocido, editado y citado de la misma, es el de la Biblioteca Nacional de Madrid (sig. 2/485) que, con preciosa encuadernación en piel fileteada con cantos dorados, lleva *ex-libris* de la Biblioteca del

Duque de Osuna. Los escasos márgenes de su costura y el hecho de que esté guillotinada la paginación en la parte superior no permiten, sin embargo, una reproducción aceptable. Dado que ocurre otro tanto con el ejemplar de la Biblioteca Universitaria de Valencia (sig. Y-18-129), hemos optado por reproducir el perteneciente a la Biblioteca del Colegio Máximo de San Cugat del Vallés (sig. M-27-I-Grac-1),. que lleva manuscrito el nombre de Antonio Castanir y Vidal, tal vez el que lo legara, el 13 de noviembre de 1970. Propiedad de los Jesuitas, hemos podido disponer de él gracias a la mediación de Miguel Batllori:

«EL/ COMVLGATORIO, / CONTIENE/ VARIAS MEDITACIO:/ nes, para que los que frequentan/ la sagrada Comunion, puedan/ prepararse, comulgar, y/ dar gracias./ POR/ EL *P. BALTASAR GRA-/ cian de la Compañia de Iesus,/ Letor de Escritura./* DEDICADO / A LA EXCELENTISSI-/ ma Señora D. Eluira Ponce de/ Leon, Marquesa de Valdueza, y/ Camarera mayor de la Reyna/ nuestra Señora./ *Con licencia*, En Zaragoça: Por Iuan de Ybar, en la Cuchilleria. Año 1655.»

Consta de ocho folios preliminares, recto y vuelto, incluido el de la portada, seguidos de trescientas noventa y nueve páginas (erróneamente numeradas en algunas ocasiones) con el texto propiamente dicho, aparte otra final con las erratas. Los preliminares llevan las oportunas licencias de la Compañía de Jesús y del Ordinario, entre 2 de febrero, en Calatayud, y 10 de abril de 1655, en Zaragoza, además de la dedicatoria a la Marquesa de Valdueza, el prólogo al lector, un índice de las meditaciones dividido en cincuenta comuniones, seguido de una tabla de dichas meditaciones para comulgar en todas las festividades del año. El ejemplar que publicamos, bastante bien conservado, ha perdido, sin embargo, en la esquina inferior derecha de la página 209 un fragmento de la hoja en el que debe leerse, por orden: «gran», «ni aqui por» y «por lo inmē-»; y «uio» y «portal», en p. 210. Tampoco aparece «ta» en la última línea de p. 257. El título de *meditación* con el que se divide la obra, en el sentido moderno de capítulo, se altera por el de *comunión* en el caso de la XXVI, XXVIII, XXXIV, XXXVIII, XL, XLIV, XLVII y XLIX. Ello conlleva pareja doblez a la que supone la del título mismo de la obra, entre *Comulgador* y *Comulgatorio*, como luego veremos.

Con el mismo formato en 16° que *El Héroe, El Político* y *El Discreto*, esta obra salió, sin embargo, con el verdadero nombre de su autor, Baltasar Gracián, y no con el de su hermano Lorenzo, como el resto de sus libros, excepción hecha del seudónimo García de Marlones, que utilizara en la Primera Parte de *El Criticón*. La razón más clara de esta novedad radica en el hecho de que *El Comulgatorio* llevaba todos los permisos pertinentes de la Compañía de Jesús que faltaban en las demás ocasiones. Así lo refrendan los preliminares, como la licencia de Diego de Alastuey, por comisión del General Gosvino Nikel (que tanto castigaría a Gracián por *El Criticón*), firmada, como hemos dicho, a 2 de febrero de 1655, en Calatayud. El cotejo del ejemplar que reproducimos, prácticamente desconocido en los repertorios al uso, y los conservados en otras bibliotecas públicas y privadas, será, sin duda, útil a los futuros editores de la obra.

Gracián debió dudar sobre el título de la misma, ya que en la parte superior de todas las páginas de la *princeps* aparece con el de *El Comulgador*, pero tanto en la portada como en la licencia mencionada y en el prólogo al lector del propio autor, se habla de *El Comulgatorio*. Dado que la página 1, con la que se inicia la obra, reza: «El Comvlgador. Contiene varias Meditaciones, para que los Sacerdotes, y los que frequentan la Sagrada Comunion, puedan prepararse, Comulgar, y dar gracias», nos inclinamos a creer que éste fue el título originario y que así lo llevó su autor a la imprenta donde se repitió en todas las páginas del texto en cuestión. Los preliminares finalmente recogerían el cambio impuesto por el propio Gracián en el prólogo y consolidarían además la primera parte de un título singularizado, como ocurre en el caso de *El Héroe, El Político*, *El Discreto* y *El Criticón*, aunque se alargue, como en la segunda de sus obras, dedicada a Fernando el Católico, o como en la última, con sus conocidas precisiones temporales y vitales.

Hay que decir, sin embargo, que el sobretítulo de *Meditaciones* tuvo amplia fortuna posterior, según confirman las ediciones, descritas por José Simón Díaz (BLH, IX), de Valencia, 1739; Madrid, 1757, 1788, 1826 y 1865; o Méjico, 1772 (ésta con varias reimpresiones en el mismo Méjico y en París hasta 1860), incluidas las más modernas (caso de la de Madrid, 1978), sin que haya habido nunca fidelidad total al título primigenio. Y otro tanto ocurrió con las traducciones, como las italianas de Bolonia, 1713, Venecia, 1714 y 1750, fieles a la segunda parte de dicho título: *Meditazioni sopra la Santissima Communione...* (estudiadas por Felice Gambin), o el de la francesa, muy libre (por Amelot de la Houssaye): *Modèle d'une sainte et parfaite Communion en 50 méditations*, A Paris, Chez Jean Boudot, 1693, sin olvidar las inglesas y alemanas en los variados títulos del XVII y en el XVIII, o las latinas (Münster, 1750 y 1753), descritas por Correa y por Peralta. La obra se unió editorialmente a otras, como es el caso de las *Meditaciones*[...] *para antes y despues de la Sagrada Comunión. Con el Testamento espiritual hecho en salud por San Carlos Borromeo*, Valencia, Joseph Garcia, 1739, o las ya mencionadas de Méjico, reimpresas junto al *Comulgador Agustiniano.*

Por otro lado, los datos anteriores a su primera impresión nos permiten saber que, a 13 de octubre de 1654, el Padre Nickel hablaba de esta obra al Padre Alastuey como de «Meditaciones del Santissimo Sacramento», aunque en otra carta anterior de 21 de octubre de 1653, dirigida al mismo, la titula «Meditaciones espirituales». Razones, todas ellas, que obligan a la general adscripción de *El Comulgatorio* a ese género concreto, tan ignaciano, de las meditaciones, avalado desde antes de aparecer impreso y permanente hasta siglos posteriores. La crítica había desviado la atención del libro hacia la oratoria sagrada y otros géneros como los devocionarios, con los que tiene evidentes paralelismos, al tratarse de un tema religioso tan fundamental y con una retórica afín, pero Eickhoff lo situó convenientemente en la órbita de las meditaciones de la época, incluidas las obras de los padres Luis de la Puente, Luis de la Palma o Eusebio Nieremberg, inspirados en Francisco de Borja; todos ellos de la Compañía de Jesús. Cuestión aparte es que esa perspectiva genérica planteaba también la cuestión relativa a la conveniencia o no del uso conceptista en el género de la meditación, asunto que ya Francis Cerdan señaló como fundamental respecto a la predicación. *El Comulgatorio* contribuyó evidentemente a esa dialéctica, y valdría la pena analizarlo más en el contexto de tan amplio debate. Si, según han puesto de relieve Hilary Dansey Smith, José Enrique Laplana y Benito Pelegrin, es mucho lo que debe la *Agudeza* a la práctica concionatoria, *El Comulgatorio* es un arsenal de conceptos sacros que se corresponden con la temática de la predicación de su tiempo y en los que Gracián ensaya diversos tipos de agudeza.

El estudio de todas las ediciones y traducciones de *El Comulgatorio*, incluidas las alemanas (Würzburg, 1734 ss.) o la latina de Westfalia, 1751, mencionada ya por Latassa, espera mejor ocasión. Ello deparará, sin duda, no pocas sorpresas relativas a la historia de la recepción de un libro cuyas sueltas corrieron, con amplísima fortuna, por derroteros muy distintos a las demás obras del jesuita, dada su evidente función devocional. Más allá de su interés literario, reforzado por la inclusión en las sucesivas *Obras* de Gracián, primó en ésta el sentido de utilidad eclesial que suponía el contener meditaciones eucarísticas aplicadas a las principales festividades religiosas, como muestran las veintitantas ediciones en español de la misma. Entre las cuestiones que ello plantea, está, sin duda, la de cómo resuelven algunas ediciones –pongo por caso la de Valencia, en la imprenta de Joseph y Thomás de Orga, 1773– la paradoja que pudo implicar el punto durativo segundo de cada meditación «para comulgar», al detraerlo y dejar únicamente los subtítulos «para antes» y «para después de comulgar», más susceptibles lógicamente de llevar a la práctica.

Además de las ediciones sueltas, cabría considerar su vida editorial en compañía del resto de las obras de Gracián o junto a la de otros autores, como es el caso de las *Meditaciones para la Sagrada Comunión aplicadas a las principales Festividades del año,* Madrid, Imprenta de Aguado, 1826. Éstas llevan añadidas, en cada una de ellas, una serie de décimas, obra de José de Ibáñez, que diera ya nombre al título de *Ibáñez eligiendo lo mejor de diferentes Poetas*, Madrid, Antonio Pérez de Soto, 1757, seguido de *El Comulgatorio* graciano.

La obra que nos ocupa salió de las mismas prensas zaragozanas que, en ese mismo año de 1655, imprimieron también otros libros de carácter religioso de cierto relieve en la historia literaria aragonesa. Me refiero a las *Catorze vidas de Santas de la Orden del Císter* de doña Ana Abarca de Bolea y a la *Vida de Santa Isabel, Infanta de Ungría* de don Francisco de Funes y Villalpando, bajo el seudónimo de Fabio Climente, amigos ambos de Gracián. También cabe recordar el *Arpa Christífera* de fray Martín de la Madre de Dios, obra dedicada a la imagen de Cristo que don Pablo Francisco Francés de Urritigoyti, otro amigo del jesuita, hizo restaurar después de haber sido profanada por las tropas de Condé en el cerco de Fuenterrabía. Por otro lado, las imprentas zaragozanas de Diego Dormer, José Alfay, Juan de Ybar y Pedro Lanaja fueron pródigas, entre 1654 y 1656, al publicar obras poéticas que, como las *Poesías varias* de José Alfay y el *Entretenimiento de las musas* de Franciso de la Torre y Sevil, ambas de 1654, llevaron impronta graciana de una u otra forma. La estrecha relación del jesuita con el mismo Alfay pudo derivar también, como en el caso de las mencionadas *Poesías*, en la publicación de *La perla* de Alonso de Barros en 1656. Esta obra, además de llevar la aprobación de «Lorenzo Gracián», creo es posible se imprimiera a impulsos del jesuita, como he apuntado en el *Homenaje a Agustín Redondo* (Paris, Sorbona, en prensa).

Respecto al impresor de *El Comulgatorio*, Juan de Ybar, tuvo una larga vida profesional entre 1649 y 1679, con un total de 145 obras de temática variada y, a juicio de Natividad Herranza Alfaro y Esperanza Velasco de la Peña (en *Libros libres de Baltasar Gracián, Catálogo de la Exposición Bibliográfica*, dirigido por Ángel San Vicente, Zaragoza, Gobierno de Aragón-CAI, 2001), «fue uno de los mejores tipógrafos zaragozanos de su tiempo».

Gracián sacó a luz su *Comulgatorio* sin arropamiento alguno, salvo el de la venia de sus superiores. Desnudez que choca con otras obras de la tipografía zaragozana del momento, adornadas con las plumas de poetas y eruditos aragoneses. Surgido en sus años zaragozanos mientras predicaba, confesaba y enseñaba en su cátedra de Escritura, *El Comulgatorio* se vincula, como ninguna otra de sus obras, a la vida jesuítica del belmontino, y en momentos difíciles que lo dibujaban portador de humores colérico-melancólicos en los anales de la Compañía. Pero también se corresponde con una etapa rica en relaciones nuevas que le permitieron andar por cuenta propia, lejos ya del patronazgo lastanosino y en el ámbito de una ciudad como la de Zaragoza con una actividad cultural e impresora más amplia que la de Huesca; aunque no tuviera, por otro lado, las posibilidades que para el jesuita representaron, sin duda, las imprentas madrileñas de las que salieron, como se sabe, varias publicaciones suyas.

La bibliografía sobre *El Comulgatorio* es comparativamente menor que la que abarcan otras obras gracianas, como ha señalado Alberto del Río en el capítulo incluido en la colectánea que editamos junto a María del Carmen Marín: *Baltasar Gracián. Estado de la cuestión y nuevas perspectivas*, Zaragoza, Gobierno de Aragón-IFC, 2001. Últimamente, sin embargo, va aumentando la consideración de una obra esencial en la biblioteca del jesuita y en los anaqueles de la literatura religiosa de su tiempo, según han mostrado los trabajos de Pelegrin, Neumeister, Giménez de Resano, Rodríguez de la Flor, Eickoff, Gambin, M. Blanco y Rallo (en prensa), tras los pasos iniciados por Coster, Peralta, Batllori o Correa Calderón, entre otros. Aunque inicialmente la obra se adscribió, como apuntamos, al género de la oratoria sagrada, lo cierto es que hay que ubicarla en el terreno de las meditaciones a que su título apela, aunque su lenguaje y su temática tengan muchos paralelos no sólo con la sermonística, sino con el tratadismo ascético y místico y la literatura espiritual en sus más variadas formas, tanto en prosa como en verso, incluidos los autos sacramentales y la hagiografía. Otros aspectos quedan reseñados en la introducción a la edición de esta obra que publicaremos próximamente en las Prensas Universitarias de Zaragoza junto a Luis Sánchez Laílla y Miguel Batllori, donde hacemos particular hincapié en la relación de *El Comulgatorio* con la *Agudeza* y cuanto ambas obras suponen en lo relativo a los conceptos espirituales, así como en nuestro estudio *La rosa del silencio. Estudios sobre Gracián* (Madrid, Alianza, 1998) y en la introducción a las *Obras Completas* de Gracián, editadas por Sánchez Laílla (Madrid, BLV, 2001).

Gracián sabía por Tomás de Kempis, en *De la imitación de Cristo*, traducida por el P. Nieremberg, no sólo que «por el pecado perdimos la inocencia», sino que por él «perdióse la verdadera felicidad». Desde ese estado miserable, el jesuita, a partir de su primer libro, quiso remontarse, como los humanistas, al estado de dignidad que las letras y las buenas obras propiciaban, elevándose con ellas y por ellas, desde la hez del mundo, a través de una larga trayectoria basada fundamentalmente en una escritura de talante profano. Pero con *El Comulgatorio* cambió las tornas y se aferró a la idea de que lo inefable y maravilloso no se podía entender racionalmente, sino con devoción y amor, tal y como el mismo Kempis presuponía al aplicarse al deseo de recibir al sacramentado: «Que el hombre no debe ser curioso escudriñador de este Sacramento, sino humilde imitador de Cristo, sometiendo su sentir a la sagrada fe». Ello le llevó a la configuración de un nuevo estilo que, sin perder las raíces conceptuales que él mismo analizara en los ejemplos de literatura religiosa recogidos en la *Agudeza*, se teñía ahora con la retórica de los afectos, plagada de imágenes sensoriales.

Aunque *El Comulgatorio* tiene más puntos de contacto con el resto de las obras gracianas de lo que parece, lo cierto es que se aleja de ellas en propósitos, medios y fines, mostrándonos la faz espiritual y encendida de un escritor que recrea los gozos de un banquete que deja de ser ágape para convertirse en *charitas*. La *gracia* de su apellido se contrahacía a lo divino en esta obra, a impulsos de otra más excelsa. La misma que invocaba pocos años antes el ya mencionado Nieremberg en la reimpresión zaragozana de 1640 de su *Aprecio y estima de la divina gracia*, que también terminaba, como la obra que editamos, con el deseo de la muerte en gracia de Dios. La Compañía de Jesús, que fijara las líneas maestras de su espiritualidad a principios del siglo XVII, había discutido, como las demás órdenes religiosas, acerca de dos tipos de oración, discursiva y afectiva, también implícitos en esta obra graciana. Los *Ejercicios Espirituales* de San Ignacio marcaron, a su vez, esa línea mística que se traducía, sin embargo, en un orden práctico al que no son ajenas las meditaciones de *El Comulgatorio*. Éste alcanza nueva luz si lo comparamos con la obra de otro jesuita, Jerónimo Nadal, que participó en el Concilio de Trento y publicó un libro de gran fortuna editorial en el siglo XVII: *Evangelicae historiae Imagines, ex ordine Evangelio, quae toto anno in Missae Sacrificio recitantur: in ordinem tempores vitae Christi digestae* (Amberes, 1593). En él, como en *El Comulgatorio*, se sigue el orden marcado por el calendario litúrgico, mostrando con estampas vivas la vida de Cristo, en un doble lenguaje de palabras y figuras, aún más evidente en las numerosas láminas que ilustran las *Annotationes et meditationes in Evangelia quae in sacrosanto Missae sacrificio toto anno leguntur* (Amberes, 1595), del propio Nadal, tan cercanas a los métodos meditativos del belmontino. Gracián, con el único auxilio de las letras, trasladó las imágenes evangélicas junto con otras sacadas del *Antiguo Testamento*, a un texto plagado de representaciones que apelaban continuamente al ejercicio de los sentidos exteriores. En esta órbita, cabe recordar la tradición iconográfica veterotestamentaria, rica en pinturas y en ediciones que mostraban a la par imágenes y textos. Pensemos en la obra de Hans Holbein, *Historiarum Veteris Instrumenti Icones ad vivum expressae* (Lugduni, 1538 y 1539), traducida al castellano como *Retratos o tablas de las historias del Testamento Viejo* (Lion, 1543 –rescatada ahora por Antonio Bernat Vistarini–, y 1549). Las pinturas de las «hazañas» de patriarcas y profetas servían así para recreo del «ojo corporeo» e inflamación amorosa del corazón cristiano que, de este modo, ya no se desmandaría con fábulas vanas sacadas de la mitología clásica.

El Comulgatorio se construye con infinidad de fuentes profanas y religiosas, en buena parte, como decimos, bíblicas, no siéndole ajenas las de la patrística, la oratoria sagrada, la hagiografía, los devocionarios y el tratadismo postridentino en torno a la Eucaristía. El poso de la literatura ascética y mística está aún por analizar, así como cuanto conlleva de herencia de los *contrafacta* o de los temas y formas inherentes a la poesía de tema eucarístico, particularmente la de los autos sacramentales. Lo singular de esta obra viene avalado por su originalidad dispositiva y elocutiva, aunque Gracián quiso destacar también en la invención, apropiándose además de un lenguaje amoroso de larga andadura que él supo elevar a lo divino pero sin renunciar a esos descensos que tocan lo cotidiano y hasta lo vulgar, en paridad con la obra de un Valdivielso o un Ledesma. Ese continuo vaivén, que provoca no pocas sorpresas en el lector actual, supone evidentes novedades producidas por la fusión de los estilos de la rota virgiliana y por la construcción de las imágenes y conceptos que todo ello implica.

A lo largo de cincuenta meditaciones, *El Comulgatorio* se erige sobre los pilares de la tradición salmista, como un cántico de acción de gracias, en consonancia con el propio significado etimológico de Eucaristía. En este sentido, la obra presenta muchos puntos de contacto con la *Psalmodia Eucharistica* (Madrid, 1622) de Melchor Prieto, que, según Juan A. Gayo (*Ephialte* II, 1990), ofrecía, en texto y láminas, una estrecha relación con el *Comentario de los Salmos y Antífonas del oficio del Corpus* que elaborara Santo Tomás de Aquino. La *Psalmodia*, al igual que tantas obras postridentinas, acarreaba, en su temática vetero y novotestamentaria, una defensa antiluterana de los valores salvíficos del sacramento eucarístico. La obra de Gracián, como señalamos en otro lugar, se acerca a ella desde la portada y los preliminares a toda una concepción simbólica y alegórica de un sacramento en el que se contenía «real y substancialmente el cuerpo y la sangre juntamente con el alma y divinidad de nuestro señor Jesu-Cristo». Esas palabras, recogidas del Canon I del Concilio de Trento y que no debían, bajo ningún concepto, entenderse sólamente «como en señal, o en figura o virtualmente», ayudan, creo, a comprender mejor el lenguaje y el contenido de *El Comulgatorio*. En él, Gracián desarrolla, con su peculiar estilo, un dogma de fe que concibe la Eucaristía como fuente de todos los sacramentos, desarrollando, bajo distintas formas, la doctrina de la transubstanciación que veía en éste la presencia de un Dios escondido y el regalo de un banquete que anticipaba las delicias celestiales.

Al igual que en los ya aludidos autos sacramentales, aunque el *asunto* de todas y cada una de las meditaciones gracianas sea común y consecuente con el título sacramental de la comunión, lo cierto es que cada meditación tiene un *argumento* distinto, en función del calendario litúrgico al que van destinadas y en estrecha ligazón con el canon de la Santa Misa. El diálogo entre el alma y Dios, y entre el autor y el comulgante —sea o no sacerdote—, mantiene altos grados de oralidad comunicativa que se traducen en un lenguaje vivo, exultante y plagado de referentes volitivos que recogen todo el arco de la retórica de los afectos. Su semejanza con la pintura de la época (pensamos en Velázquez, pero sobre todo en Ribera y Alonso Cano) es evidente, sobre todo en los temas bíblicos y en los referidos a la vida de Jesús, desde una perspectiva cargada de resortes cotidianos y afecto, en la que se funden lo divino y lo humano, como en casa de María y Marta. La tradición iconográfica, sobre todo la emblemática, tan cara en los colegios jesuíticos a las representaciones de la vida de Jesús, María y los santos, dejó sus huellas en esta obra de Gracián, que también siguió, como Herman Hugo y otros, el juego de la simbología infantil y familiar, según apuntamos en el trabajo presentado del 4-7 de octubre de 2001 en el *II Interna-*

tionales Kolloquium über Baltasar Gracian: Anthropologie und Äesthetik in der frühen Neuzeit, en la Universidad Libre de Berlín (en prensa), donde establecimos también la relación con la obra de don Juan de Palafox y Mendoza, el obispo de Puebla de los Ángeles. Por otra parte, *El Varón de deseos* palafoxino, plagado de emblemas contemplativos que mostraban el gozo de la unión con Dios, ofrece evidentes concomitancias con la obra de Gracián. Y otro tanto podemos decir de su *Peregrinación de Philotea,* coincidente con *El Comulgatorio* en esa corriente cardiomorfista que, a partir de la *Schola cordis* (Amberes, 1623) de Van Haeften, invadió Europa, y en la que nuestro jesuita, como otros muchos en la Compañía, ocupó un lugar destacado. La obra tiene también su sesgo político, patente en la dedicatoria a la Marquesa de Valdueza, vinculada a la figura real, y sobre todo en la misma Eucaristía, que la casa de Austria incluyó en su programa político, convirtiéndose ésta en su más destacada defensora, como muestran las pinturas de Rubens o los autos de Calderón.

En conjunto, *El Comulgatorio* es un retablo vivo, lleno de imágenes parlantes que dialogan, gozan y exclaman a través de un lenguaje desatado, libre y plagado de un simbolismo sensual trascendido que llenó no sólo la literatura sino la iconografía de la época. Purgativo y contemplativo a un tiempo, muestra todas las paradojas de lo inefable, pero sin ascender al vacío y al silencio místicos. En este caso, Gracián no se sometió exclusivamente a los moldes del ingenio y del juicio como en el resto de sus obras, sino a lo que Octavio Paz llamaría, a propósito de Sor Juana, las trampas de la fe. Esas que conllevan la paradoja de traducir lo divino en el único lenguaje conocido de la palabra usada. Como señaló Hidalgo Serna, en un trabajo recogido en Giambattista Vico, *Poesia, Logica, Religione* (Brescia, 1986), fue Vives quien, adelantándose a Calderón, manifestó que la traslación del *verbum* y de la *significatio* era mucho más que un juego estético, pues se trataba de una operación por semejanza que explicaba lo desconocido a través de lo conocido. De ahí que *El Comulgatorio* sea no sólo un monumento eucarístico en sentido lato, sino también un ejemplo precioso de aplicación de la lógica ingeniosa a la invención de un lenguaje metafórico que traduce los símbolos sagrados de la comunión.

Todo ello llevaría al jesuita a la paradoja permanente que supone el uso de lo fable para expresar lo inefable, en un proceso antitético y dialéctico que se hace más complejo al tratarse de un sacramento en el que Dios aparece como presencia real. Ésta, sin embargo, conlleva la inmensa ventaja de lo tangible, expreso en las especies del pan y del vino, y en el propio significado de la transubstanciación, aspecto éste que no ha lugar en la pura experiencia mística, alejada de la terminología propia del lenguaje sacramental. De ese modo, todo sirve, al trascenderse, para la expresión del misterio, incluso el vocabulario aparentemente bajo, que se dignifica a través de una función anagógica y sobre todo parenética. Como en el lance sanjuanista, el poeta que también fuera Gracián –bien que en prosa, y con un lenguaje muy distinto, bastante menos desnudo y mucho más anclado en lo real que el del carmelita–, tras elevarse, debe bajar de nuevo para expresar con palabras lo experimentado en el sacramento de la comunión en términos humanos. La afección graciana por la Eucaristía nos recuerda a veces la que Santa Teresa expresó tantas veces en el *Libro de su vida,* obra con la que *El Comulgatorio* muestra no pocos puntos de contacto pero en estilo diferente. Aunque no debamos olvidar las *Moradas* teresianas como referente graciano a la hora de recrear lugares e imágenes que conforman una topotesia riquísima de ornamentos artísticos en el interior del alma.

Los conceptos de esta obra se fuerzan ingeniosamente a lo contemplativo y meditativo. El autor se rebaja, desfallecido cual «vil hormiguilla», como ocurre en la meditación XXVIII, ante un Dios infinito que se digna entrar en el pecho de un miserable gusano. Claro que Gracián, tan afecto a los múltiplos de cinco, somete el lenguaje sensorial y afectivo al orden numérico de cincuenta meditaciones, parejas a los cincuenta discursos de *Arte de ingenio*. Éstas se distribuyen a su vez en cuatro puntos (salvo la XLI, la XLVII, la XLVIII y la XLIX, tal vez anteriores al resto, que constan de tres) y se ordenan en torno a la medida temporal y argumental de un calendario litúrgico y vital que, de modo encadenado, empieza con la Encarnación y se alarga hasta la meditación final donde, curiosamente, se identifican la muerte del hombre y la del Redentor. Allí se acaban, a la par, la vida y la obra, en sincronía curiosa con el curso y el discurso de *El Criticón*, escrito por los mismos años. Sólo que en *El Comulgatorio* se goza, se alaba y se contempla a aquél que en la última parte de *El Criticón* no aparece. Si en éste Gracián buscó la eternidad que da la fama basada en la virtud y en las obras, en *El Comulgatorio,* reclamó perdón, gracia y gloria eternas desde una perspectiva religiosa totalmente distinta. Hablar a tal propósito de dos gracianes o de uno que se desdobla no deja de ser, desde el punto de vista crítico, un modo de tratar de resolver no sólo el misterio implícito en toda obra de carácter religioso, sino el que supone la escritura en cuanto traslado de una vida humana compleja y llena de contradicciones como la suya.

Sin duda, el belmontino atinó a expresar con exactitud en *El Comulgatorio* otros alcances de la fama a través de la figura de Cristo tras el triunfo de las palmas: en un instante, solo en la casa del Padre. La lengua que se cerró en otras obras a los deleites profanos, se abrasó aquí, sin embargo, en alabanzas divinas. En las desasosegadas horas de un Gracián acosado por las consecuencias de haber escrito a lo profano, *El Comulgatorio* le debió ofrecer la posibilidad de descansar, como el discípulo amado, al costado de una experiencia literaria diferente, que si nunca aspiró al «callado de amor» sanjuanista, fue capaz de expresar la voz gozosa de caridad, aunque ésta surgiese también en la soledad interior del fondo silencioso del alma. Si en el corpus graciano, particularmente en *El Criticón,* la búsqueda de la felicidad resulta no sólo imposible, sino falaz, *El Comulgatorio* discurriría por otros derroteros, a partir de la primera meditación, en la que el arcángel Gabriel, como «sagrado paraninfo» anuncia a María la feliz maternidad divina, gracias a la cual, será posible que el hombre alcance, al final de su vida, el paraíso prometido en la última meditación. Por esos mismos años, el *Psale et Sile* de Calderón, y antes la obra de Tirso de Molina, entre otras, ofrecían claras concomitancias con Gracián, al plantear el conflicto interior y exterior de todo religioso que se dedicase a la fábrica de libros profanos.

Si *comulgatorio* significaba no sólo el lugar donde se comulga, sino la ventanica por donde se daba la comunión a las religiosas de clausura, el de Gracián se configuró también como un *locus* plagado de imágenes variadas que fijaban en la lectura la memoria que Cristo dejó en la Eucaristía. Y en ese sentido, también podemos decir que el libro es una ventana abierta al común de los mortales a través de la cual se vislumbran los pasos de la práctica frecuente de la Eucaristía y hasta enseña, en la meditación XLVIII, a cómo hacerse cada uno su propio comulgatorio, aplicando una técnica general a la advocación particular elegida. En esta obra de Gracián nos las habemos además con un arte de amar, una filografía para todos, que convierte, al que la practica, no sólo en escritor, sino en artista de su propia meditación eucarística. Pero además el lector en cuestión tiene la posibilidad de convertirse en actor que representa y dialoga con Dios y consigo mismo, y que vive en el teatro de su alma, al hilo de los puntos que se van marcando en cada una de las meditaciones, desde la consideración y la reflexión, a la acción de gracias con la que aquéllas terminan.

En la connivencia del jesuita con los destinatarios de su obra está tal vez el secreto de *El Comulgatorio*, cuyas letras impresas instan, en la meditación citada, a que el que lea no se quede sólo con la copia, sino con el original, para que la parénesis sea así más efectiva. No es extraño, por ello, que, con el mismo lenguaje de la filosofía amorosa neoplatónica, Gracián inste al lector con estas palabras: «Imprímele en las telas de tu corazón».

AURORA EGIDO

Zaragoza, 10 de abril de 2002

FACSÍMILE

M

Antonio [illegible]

[illegible] y V[illegible]

EL COMVLGATORIO,

CONTIENE VARIAS MEDITACIO-nes, para que los que frequentan la ſagrada Comunion, puedan prepararſe, comulgar, y dar gracias.

POR

EL P. BALTASAR GRACIAN de la Compañia de Ieſus, Letor de Eſcritura.

DEDICADO A LA EXCELENTISSI-ma Señora D. Eluira Ponce de Leon, Marqueſa de Valdueza, y Camarera mayor de la Reyna nueſtra Señora.

Con licencia, En Zaragoça: Por Iuan de Ybar, en la Cuchillería, Año 1655.

YO Diego de Alaſtuey, Prouincial dela Cōpania de Ieſus, en la Prouincia de Aragon, por particular comiſsion q̄ para ello tengo de N.M.R.P. General Goſuino Niquel, doy licencia, que ſe imprima eſte Comulgatorio, compueſto por el P. Baltaſar Gracian de la miſma Compañia, el qual ha ſido viſto, y aprobado por muchas perſonas doctas, y graues della. En teſtimonio de lo qual di eſta firmada de mi nombre, y ſellada con el ſello de mi oficio. En Calatayud a 2. del mes de Febrero de 1655.

Diego de Alaſtuey.

DAmos licencia para que ſe imprima. En Zaragoça a 10. de Abril de 1655.

D. Sal. V. G. y Off. *Exea Regens.*

ALA

A LA EXCELENTISSIMA SEñora doña Eluira Ponce de Leon, Marquesa de Valdueza y Camarera de la Reyna nuestra Señora.

EMulo grande es este pequeño libro de la mucha cabida que hallaron en el agrado de V. Excelencia, el Heroe, el Discreto, y el Oraculo, con otros sus hermanos, èl con especial blason se destina al obsequio de V. Exc prometiendose, no solo el lucimiento en su heroica grandeza, sino el logro en su Christiana piedad. Quiere ya que acertò en el delecto de la materia de que trata, no desdezir en el acierto del patrocinio a quien se dedica, reconociendo el superior gusto de V. Exc. por generoso dueño suyo, venerandole por el que mas le ha de emplear. Facilitase tambien la felicidad de passar inmediatamente de manos de V Exc à los ojos Reales, à quienes se reconoce empeño, por lo que blasona de Eucaristico, quando de Austriacas coronas, y de cetros Filipicos se vinculo

 eter-

eterno trono el Santissimo Sacromento, que a V Ex. guarde.

Su mas afecto Capellan de V. Ex.
y su menor sieruo.

Baltasar Gracian.

AL LETOR

ENtre varios libros, que se me han prohijado, este solo reconozco por mio, digo legitimo, siruiẽdo esta vez al afecto mas que al ingenio. Hize voto en vn peligro de la vida, de s ruir al Autor della con este atomo, y lo cumplo delante todo su pueblo, pues se estampa, brindando à las deuotas almas con el caliz de la salud eterna. Llamole el Comulgatorio, empeñãdole en q̃ te acompañe siempre q̃ vayas à comulgar, y tan manual, q̃ le pueda lleuar qualquie-

quiera, ò en el seno, ò en la manga. Van alternadas las cõsideraciones, sacadas del testamento viejo, con las del nueuo para la va
riedad, y la autoridad; y en cada vna el primer punto sirue a la preparaciõ. el segundo
a la comunion, el tercero para sacar los fru
tos, y el quarto para dar gracias. El estilo es
el que pide el tiẽpo; no cito los lugares de
la Sagrada Escritura porque para los doc-
tos fuera superfluo, y para los demas pro-
lijo. Si este te acertare el gusto, te ofrezco
otro de oro, pues de la preciosa muerte del
justo, con afectuosos coloquios, prouecho-
sas consideraciones y deuotas oraciones pa
ra aquel trance.

---

*INDICE DE LAS MEDITACIO-
nes deste libro.*

Com.

Com.

TABLA
De las Meditaciones, para Comulgar en todas las festiuidades del año.

ENERO.

Me-

Meditacion.47.p.367 y med.45.pag.350.
med.46.p.359.

Epifania,med.27.de los Reyes,p.208.

Domingo dentro la octaua de los Reyes, med.37.del niño perdido,p.286.

Domin.1.despues de la Epif.med.36.del combite de las bodas.p.278.

Dom.3.de la Epifan.med.2.del hijo prodigo,p.11.

FEBRERO.

Dia de la Purificació,me.17.propia,p.130

S.Matias,med.48.p.375.

Do.4.de la Epif.med.3.del Cēturion.p.19

Dom.de la Septuagesima,med. 20.del panal de Sanson,p.153.

Dom.de la Sexagesima,med. 34.del grano de trigo,p.263.

Dom.de la Quinquagesima,med.41.de la passion,p.316.

MARZO.

S.Ioseph,med.11.del banquetē de Ioseph, p.80.ò la me.37.del niño perdido,p.286

La Anunciacion, med.1.propia,p.1.

Dom.de la Quadrag.med.38.el cōbite de

los

ABRIL.

Dom.

S. Pe-

IVLIO.

Dom.

Dom.10.Pent.med 12.propia,p.89.

AGOSTO.

Nuestra Señora de las Nieues,med.1.p.1.
La Transfiguracion,med.47.p.367.
S.Lorenço,med.34 del grano de trigo, p. 263.ò med.48.p.375.
La Assumpcion,med.10.propia,p.72.
S.Bartolomé,med.48.p.375.
Dom.11 despues de Pent.med.16.del cõbite descubierto,p.122.
Dom.12.Pent.med.23.del que fue echado del combite,p.177.
Dom.13.Pent.med.35.desterr do à Egypto,p.270.
Dom.14.Pet.me.2.del hijo prodigo,p.11

SETIEMBRE.

La Natiuidad de la Madre de Dios,med.1. p.1.
S.Mateo,med.48.p.375.
S.Miguel,med.38.p.294.
Dom.15.Pent.med.3.de Centurion p.19
Dom.16.Pent.med.5.del maná p.32.
Dom.17.med.8.del Arca en casa de Obededon,p.55.

Dom.

Dom. 18. Pentec. med. 18. de las tres salas, p. 139.

OCTVBRE.

San Lucas, med. 48. p. 375.
San Simon, y Iudas, med. 48. p. 375.
Dom. 19. Pent. med. 20. del panal de Sanson, p. 153.
Do. 20. Pent. med. 24. de Mifibofet, p. 185.
Dom. 22. Pent. med. 26. del combite de Assuero, p. 200.
Dom. 23. Pentec. med. 28. de la grandeza del Señor, p. 216.

NOVIEMBRE.

Dia de todos Santos, med. 29. la gran cena p. 223 ò med. 45. Rey, p. 350.
San Martin, med. 28. p. 375.
La Presentacion, med. 1. p. 1. ò med. 37. del niño perdido, p. 286.
Santa Catalina virgen, y martir, med. 45. p. 350.
San Andres Apostol, med. 48. p. 375. ò medit. 19. p. 145.
Domingo 24. Pent. med. 30. del tesoro escondido, p. 230.

Dom.

Dom.1.de Aduiento, med.33.p.254.
Dom.2.de Aduiento, med.34. del grano de trigo, p.263.
Dom.3.de Aduiento, med.6.de Zaqueo, p.39.

DIZIEMBRE.

La Concepcion, med.1.p.1.
La Expectacion, med.32.p.246. ò medit. 33.p.254.
Santo Tomas, med.42.p.325.
Dom.4.de Aduient med.10.p.72.
Noche de Nauidad, med.33.propia p.254.
San Esteuan, med.48.p.375.ò med.49.p. 382.
San Iuan Euangelista, med.25.pag.183.ò med.40.p.308.
Los Inocentes, med.35.destierro a Egypto, p.270.
Domingo dentro la Octaua, med.17.propia pag.130.

EL

EL COMVLGADOR

CONTIENE VARIAS Meditaciones, para que los Sacerdotes, y los que frequentan la Sagrada Comunion, puedan prepararse, Comulgar, y dar gracias.

MEDITACION I.

De la plenitud de gracia con que la Madre de Dios fue preuenida para hospedar al Verbo Eterno Primer exemplar de vna perfecta Comunion.

Punto 1. *Para antes de comulgar.*

CONsidera el mageſtuoſo aparato de ſantidad, el colmo de

virtudes cõ que la Madre de Dios se preparó para auer de hospedar en sus purissimas entrañas al Verbo Eterno: disposicion deuida a tan alta execucion Fue lo primero concebida, y confirmada en gracia, porque ni vn solo instante embaraçasse la culpa el animado Sagrario del Señor Llamase su padre Ioachin, que significa preparacion de Dios, y su madre Ana, que es gracia, porque todo diga, preuenciones della. Nace, y mora en la Ciudad florida, como la flor de la pureza, nõbrase Maria, que quiere dezir, Señora, con propiedad, pues hasta el mismo Principe de las eternidades la està preuiniendo obediencias. Criase en el Templo

plo, gran marauilla del mundo, para serlo ella del cielo: haze voto de virginidad, reseruãdose puerta sellada para solo el Principe, preuienese su alma de la plenitud de la gracia, y alhajase su coraçon de todas las virtudes, para hospedar vn Señor por antonomasia Santo. * Pondera aora tu, que has de llegar a recibir el mismo Verbo Encarnado en tu pecho, que Maria concibiò en su vientre, si ella con tanta preparacion de gracias, como tu tan vacio dellas? Mira, que el que comulga, el mismo Señor recibe, que Maria concibe, alli encarnado, aqui sacramentado, si la Madre de Dios con tanto aparato de santidad se turba al concebirle, como tu tan indigno no te confundes al recibirle? La Virgen llena de virtudes teme, y tu lleno de culpas no tiemblas? Procura hazer concepto de vna accion tan superior: y si la Virgen para concebir vna vez al Verbo Eterno se dispone tantas, tu para recibirle tantas, procura prepararte esta.

P. 2 *Para comulgar.* A esta preuencion de toda la vida correspondiò bien la de la ocasion. Negada estaua esta Señora al bullicio humano, entregada toda al trato diuino, que retirada de la tierra, que introducida en el Cielo: Menester fue que entrasse el Angel a buscarla en su escondido retrete, y que llamasse al retiro de su coraçon,

çon: Tres vezes la saludó para que le atendiesse vna; tan dentro de si estaua, tan engolfada en su deuocion: Era velo a su belleza su virginal modestia, y el recatado encogimiento, muro de su honestidad. Admirado, la saluda el Angel, turbada le oye Marià, que puede enseñar a los mismos espiritus pureza. Combidala el sagrado Paraninfo con la maternidad diuina, y ella atiende al resguardo de su virginidad; encogese al dar el si de la mayor grandeza, y concede, no el ser Reyna, sino esclaua, que en cada palabra cifra vn prodigio, y en cada accion vn estremo. * Llega, alma, y aprende virtudes, estudia perfecciones, copia este verdadero ro original de recibir a tu Dios, ad' uie: te con que humildad deues llegar, con que reuerencia asistir? que amor tan detenido? que temor tan confiado? Si la Virgen tan colmada de perfecciones duda si llena de gracias teme, y es menester, que el que es fortaleza de Dios la conforte: Tu tan vacio de virtudes oliendo a culpas, como te atreues a hospedar en tu pecho al infinito, è inmenso Dios? Pondera, que dis posicion será bastante, que pureza igual. Prepara pues tu coraçon, sino con la perfeccion que deues, con la gracia que alcançares.

Punto 3. *Para despues de auer comulgado.* En este purissimo Sagrario de la gracia, en este sublime

tro-

trono de todas las virtudes, toma carne el Verbo Èterno: A qui se abreuia aquel gran Dios, que no cabe en los Cielos de los Cielos, y la que ya estaua llena de gracia, quedò llena de deuocion: Luego que reconoceria en sus purissimas entrañas su Dios hijo, sin duda que su alma assistida de todas sus potencias se le postraria, adorandole, y dedicandose todas a su cortejo, y afecto; el entendimiento embelesado, contemplando aquella grandeza inmensa reducida a la estrechez de vn cuerpecito; la voluntad inflamandose al amor de aquella infinita bondad comunicada; la memoria, repassando siempre sus misericordias; la ima-

ginacion, repreſentandole humano, y gozandole diuino; los demas ſentidos exteriores, hurtan-
doſe al cariño de los foranos empleos, eſtarian como abſortos en
el ya ſenſible Dios; los ojos pro-
uocandoſe a verle; los oidos, enſa-
yandoſe a eſcucharle, coronando-
le los braços, y ſellandoſe los labios en ſu tierna humanidad. * A
eſta imitacion ſea tu empleo, ò alma mia, deſpues de auer comulgado, quando tienes dentro de tu pecho, real, y verdaderamente al miſmo Dios, y Señor: eſtrechate con
èl; aſsiſtele en atenciones de cortejo, conuoquenſe todas tus fuer-
zas a ſeruirle, y todas tus potencias a adorarle: Logra en feruoroſa

ſa contemplacion aquellos dulciſsimos coloquios, aquellas terniſsimas finezas que repetia la Virgen con ſu Dios hijo encerrado.

P. 4. *Para dar gracias.* Cantó las gracias a Dios eſta Señora orillas deſte abiſmo de miſericordias, mas glorioſamente, que la otra Maria hermana de Moyſes, orillas del mar bermejo. Començaria luego a magnificar ſus marauillas, q̃ lo que le abreuiò ſu vientre, le engrandeciò ſu mente. Combida a las generaciones todas, la ayuden a agradecer las vniuerſales miſericordias, y engrandecer el ſanto nombre del Señor: Paſſa a eternizar de progenie en progenies los di-

diuinos fauores, con agradecidos encomios; y luego boluiẽdo atras, porque los passados, los presentes, y venideros magnifiquen al Señor, despierta a Abrahan, y a su semilla, para que reconozcan, y alaben la gran palabra de Dios desempeñada, quando ya encarnada: deste modo dá gracias la Virgen Madre, por auer concebido al infinito Dios. * Al resonar, pues, de tan agradecidos canticos, no estes muda tu, alma mia; y pues recibiste al mismo Señor, aplaude con voz de exultacion, y de exaltacion, que es el sonido de tales combidados; empleense essa boca, y essa lengua saborcadas con tan diuino pasto, en sus dulces alabanças. Con

tale

tale oy al Señor vn nueuo cantar por tan nueuos fauores, y todo tu interior en su real diuina presencia se dedique a la perseuerancia de ensalçarle, por todos los siglos de los siglos. Amen.

MEDITACION II.

Del combite del hijo Prodigo, aplicado a la Comunion.

PVnto 1. Considera al inconsiderado Prodigo, caido de la mayor felizidad, en la mayor desdicha, para que sienta mas sus estremos: de la casa de su padre, al seruicio de vn Tirano, metido en vna vil choça, consumido de la hambre,

bre, arrinconado de la desnudez, apurado de su tristeza, inuidiando vn vil manjar, a los brutos mas inmundos, y aun esse no se le permite. Aqui acordandose de la regalada mesa de su padre, y cariñoso de aquel sabroso pan, que aun a los jornaleros les sobra. Viendose hambriento dèl, hartase de lagrimas, principio de su remedio, pues hazen reuerdecer sus esperanças, confiado del amor paterno, que nunca de raiz se arranca, resueluese en boluer allà, y entrarse por las puertas siempre abiertas de su cielo. * Contemplate otro Prodigo, y aun mas misero pues dexando la casa de tu Dios, y la mesa de tu padre te, traxo tu des-

desdicha a seruir tus apetitos, duros, y crueles tiranos. * Pondera quan poco satisfazen los deleites, quan poco llenan las vanidades, aunque mucho hinchan. Lamenta tu infelizidad de auer trocado los fauores de hijo de Dios, en desprecios de esclauo de Satanas. Saca vn verdadero desengaño, despreciando todo lo que es mundo, apreciando de todo lo que es cielo, y con valiente resolucion buelue antes oy que mañana a la casa de tu Dios, y a lo mesa de tu buen padre

P 2. Resuelto el desengañado hijo de boluer al paterno centro, disponese con dolor para llegar al consuelo. Buelue lo primero en si,

si, que aun de si mismo estaua tan estraño. Entra reconociendo su vileza ante la mayor grandeza, y reuistese de vna segura confianza, que aunque èl es mal hijo, tiene buen padre, y assistido de dolorosa verguenza llega confessando su flaqueza, y su ignorancia: comiença por aquella tierna palabra, padre, y prosigue: peque contra el cielo, y contra ti. Que presto le oye el padre de las misericordias, y salta a recibirle, antes en sus entrañas, que en sus braços; no le asquea andrajoso, ni le zayere errado: escondele si entre sus bracos, porque ni aun los criados sean registros de su desuentura; y aunque la necessidad del comer
era

era mas vrgente, atendiendo a la decencia, manda la traigan vestido nueuo, en fe de vna vida nueua, ajustale el anillo de oro en el dedo, en restitucion de su nobleza profanada, y viendole de suerte, que no desdize de hijo suyo, sientale a su mesa, y vestido de gala le regala * Pondera tu, con que resolucion devrias leuantarte de esse abismo de miserias, en que te anegaron tus culpas; como te deues disponer con verdadera humildad, para subir a la casa de tu gran padre, con que adorno te has de assentar a la mesa de los Angeles, no arrastrando los yerros de tus pecados, desatado si, por vna buena Confessión; vestido de la perpreciosa gala de la gracia, anillo en el dedo de la noble caridad, y con las ricas joyas de las virtudes, llega a lograr tan diuinos fauores.

Punt 3. Viendole ya el padre de las misericordias asseado, dignase de sentarle a su mesa; y para satisfazer su gran hambre, dispone sea muerto el mas luzido ternerillo de sus manadas y que todo entero, sazonado al fuego del amor, se lo presenten delante. Començò a cebarse con tanto gusto, como traìa apetito: el pasto era sabroso, su necessidad grande, con que gusto comeria, ò como se iria saboreando! Mirandoselo estaria su buen padre, y diria, dexalde comer

mer, que lo que bien ſabe, bien alimenta; trinchalde mas, hazelde
pla to, coma a ſatisfacion, y haga-
le buen probecho. Aora ſi cono-
ceria la diferencia, que và de meſa a meſa, de manjar a manjares, y
el que llegò a mendigar la mas vil
comida de los brutos, como eſti-
maria aora el noble regalo de los
Angeles, que ſi vna gota de agua
de eſta meſa baſta a endulçar el
miſmo infierno, que ſerà todo a-
quel pan ſobre ſuſtancial? * Pondera tu, quanto mayor es tu dicha,
pues tanto mas eſplendida tu meſa, quando en vez del ſabroſo ternerillo, te comes el miſmo Hijo
del Eterno Padre Sacramentado,
auiua la Fe, y deſpertaràs el ham-

bre,comelo con gusto, y te entrarà en prouecho, desmenuçale biẽ, y te sabrà mejor, aduierte lo que comes,por la contemplacion,y lograràs vida eterna.

P. 4. Quedaria el Prodigo tan agradecido a tan buen padre,quan agasajado, estimador de su gran bien,al passo que desengañado: q̃ propositos sacaria tan eficazes, quan verdaderos de nunca mas perder, ni su casa,ni su mesa, y en medio de esta fruicion, que horror concibiria al miserable estado, en que se viò Como atenderia a no disgustarle en cosa, ya por amor de hijo, ya por rezelo de desgraciado. Iriase congratulando con todos los de casa, desde

el

el fauorecido, al mercenario. Como ponderaria el fauor paterno, y celebraria el regalo. Quanto mayores gracias deues tu rendir auiẽdo comulgado, quando te hallas tan fauorecido: corresponda al fabor tu feruor, leuantense tus ojos pe la mesa al cielo, y passe la lengua del gusto de Dios, a sus diuinas alabanças.

MEDITACION III.

Para comulgar con la intencion del Centurion.

PVnto primero. Meditràs oy las excelentes virtudes con que se armò este Centurion para yr a conquiſtar la miſericordia infinita; aquella feruiente caridad con que ſale en perſona abuſcar la ſalud, no ya para vn hijo vnico; ſino para vn criado ſobrado, y quien aſsi ſe humilla con ſu criatura primero, que no harà deſpues con ſu Criador? Conociò quan poco valen los humanos medios, ſin los diuinos, y aſsi ſolicita eſtos con eſtimacion, y deſengaño; no fia la diligencia al deſcuido de otro ſieruo, ni el hablar con Dios lo remite a otro tercero. * Pondera, que oy ſales tu en buſca del miſmo Señor, no ya para ſolicitar la ſalud de vn ſieruo, ſino de tu alma, al miſmo Ieſus has de hablar, procura pues preuenirte de virtudes

pa-

para conquiſtar ſus miſericordias; llega con humildad a poſtrarte ante ſu Diuina preſencia; ſaca vn grã feruor de eſpiritù, vna encendida caridad, y vna diligencia ſolicita.

P. 2. Llega caritatiuo el Centurion, y recibe el Señor benigniſsimo, confia que tiene en ſu mano el poder, y muy a mano el quererle remediar. Señor, dize, vn criado tengo en mi caſa paralitico, tã impedido, que no ha ſido poſsible llegar acà con el cuerpo, ſi con el afecto. Reſpõdele el Señor: ſi el no puede venir, yo irè allá a curarle. Repara en la infinita bondad del Saluador. No ſolo le eſcucha; pero ſe digna ir a ſu caſa a curar al ſieruo; remunera vna gran caridad con otra mayor, no permitiendo ser en esta vencido de alguno. * Y entiende tu, que en mostando deseo del Señor, èl mismo se combidarà a entrarse por las puertas de tu pecho; ensancha los senos de tu alma para los fauores de su diestra; dilata tu boca, para que la llene de tan regalado manjar. Corresponda tu estimacion a la infinita bondad, auiua el deseo de que venga a ti el Señor, que entre en tu pecho, y sane tu alma.

P. 3. Admirado el Centurion de tan diuina humanidad, careãdo su nada con la infinita grandeza, espantado, y aun confundido exclama: Señor, yo no soy digno, de que vos entreis en mi pobre morada. Vos

Vos Dios infinito, yo vn vil gusano, el cielo os viene estrecho, que será mi pobre casa? Vos hecho á pisar alas de Cherubines, yo vna hormiguilla vil, yo vn pecador menos que nada. Repara, que quãdo los Fariseos inchados multiplican desprecios del Señor, vn soldado haze alarde de veneraciones, aquellos no se dignan de venir a èl, y el Centurion se espanta de que el Señor se digne ir a su casa. * Pondera, que si el Centurion a si se confunde de que el Señor quiera pisar sus vmbrales, quanto mas tu de que se digne entrar, no ya en tu techo, sino en tu pecho. Sola vna palabra vuestra dize es bastante a dar salud a mi criado, do, y llenar de felicidades mi casa: con sola vna palabra se contenta; y a ti la misma palabra infinita hecha carne, se entra en tus entrañas. Carea la grandeza deste Señor, con tu vileza, y quando llegas a Comulgar, aniquilate pues eres nada, pondera, que si para la omnipotencia bastaua vna palabra, pero no para su infinita misericordia.

P. 4. En que accion de gracias prorumpiria el Centurion a tantas misericordias, quan agradecido quedaria despues de tan fauorecido, si humilde le venerò, agradecido le bendize, publicando a vozes sus grandezas Celebra tambien el Señor su fè, y proponenos

la

la la Iglesia Santa, por exemplo al recibirle. * Pondera, quanto mayores gracias deues tu rendir a este Señor, quantos mayores han sido los fauores, mira que no bueluas luego las espaldas a esta fuente de misericordia desagradecido, sino alabale eternamente obligado, diziendo: cantarè las misericordias del Señor eternamente, corresponda a este pan cotidiano, vn hazimiento de gracias de cada dia, platicando con el exercicio vna tan grande enseñança de virtudes.

(?)

MEDITACION IV.

Para Comulgar con la fè de la Cananea.

PVnto primero. Conſidera como la Cananea dexa ſu caſa, y ſu patria, comodidades, y culpas, y ſale tan diligente, quan afligida, a pedir miſericordia a la fuente de ellas; multiplicaronſe ſus trabajos, y aſsi ſe aumento ſu diligēcia. Llegaron a ella los ecos de los milagroſos hechos de Chriſto, y no ſe hizo ſorda, al punto vino clamando diligente: gran diſpoſicion para parecer delante de vn Señor tan amigo de comunicar el conſueſuelo, y el remedio. * Pondera como la Cananea viene pidiendo miſericordia, y a ti te ruegan con ella, no te cueſta tanto hallar todo el pan del Cielo, como a eſta vna migaja, no el ſalir de tu reyno, ni de tu patria, no el ir al cabo del mundo a comulgar, pues en cada Igleſia tienes al Señor Sacramentado, y que te eſtà combidando. Eſtima vna felicidad tan grande, y tan a mano, y procura ſalir de ti miſmo, de tu amor propio, de los fines errados de vna intencion torcida, para que entre ſin embaraço eſte diuino bien en tu pecho; ſaca vna gran diſpoſicion de heroica fè, firme eſperança, oraciõ perſeuerante, y diligencia feruoroſa.

P. 2. Perseuera en rogar la Cananea, y haze el Señor del que no la oye, quando mas la atiende; suspende sus misericordias, porq̃ ella mas conozca, y repita sus miserias, que le es musica sonora, lo q̃ enfado a los Apostoles. * Pondera lo que importa no desmayar en los exercicios de virtud, y aunque el ministro del Señor, tal vez se enfade, y otros te murmuren de que frequentas confessiones, y comuniones, tu no desmayes, ni te retires, persiste como Ana, aunque censurada de Heli, que no se cansa, ni se enfada aquel Señor, que tiene por sus delicias los ruegos, y por descanso el estar en el pecho del que comulga: a-

pren-

prende perseuerancia desta feruo
rosa muger, a no acobardarte con
pusilanimidades , y coronaràs las
obras.

P.3. Prosigue el Señor, en ensa-
yar su virtud, en el crisol de la prue
ua, para que salga mas luciente el
oro de su fe, campee su paciencia,
y se realce mas su humildad: y quãdo gusta de tenerla cerca, entonces la dize, apartate, que no es biẽ
arrojar a los perros el pan de los
hijos: desmayarà qualquiera viendo tales amagos de disfauor, mas
la Cananea està tan lexos de agra-
uiarse, que se humilla mas: no la
espantan rigores de Dios, a la que
sabe bien lo que son vexaciones
del Demonio; no siente los despre
cios,

cios, la que conoce ſus demeritos. Retuerce ella el argumento, y no ſolo a hombre, ſino a Dios: ſi Señor, dize, que las migajuelas q̃ caen de las meſas de los ſeñores, gages ſon de los perrillos; yo me conozco que ſoy delante de vos, como dezia el Santo Rey, vna beſtezuela, mas inutil que vn perrillo; pero tambien ſe, que vos ſeys mi buen dueño, y que pues ſuſtentais los pajarillos del aire, no me dexareis a mi perecer. * Pondera la excelente humildad deſta muger, nota la lealtad de ſu fe, la fidelidad de ſu confiança, la fineza de ſu caridad, y ſi ella con vna migajuela ſe contenta, y juzga que la ſobra la dicha; tu que no ſolo alcancançasvna migaja, sino que recibes todo el pan del Cielo, quanto mas deues estimar, y lograr tu suerte? Aprende aqui la humildad, y platicala en humiliaciones; saca estimacion del fauor, y adoracion de la grandeça del Señor, a quien recibes.

P.4. Exclamó el Señor, oyendo tanta fineça, ò muger, grande es tu fe, sea grande tu dicha, yo te otorgo lo que pides, pues assi mereces. Hizo el Señor esta demostracion de admirado, para que nos admirassemos nosotros, y la imitassemos tãbien. * Pōdera, q̃ gracias rendiria despues, la que con tal humildad llegò antes, y la que tan fiel vino pidiendo, que agradecida da bolueria alcançando, como leuantaria la voz al agradecimiento, la que a si el grito al ruego. O tu que has conseguido tanto mayor merced, no migajuelas de fauor, sino colmos de gracia; sea tan bien cumplido tu agradecimiento, si a gran bocado, gran grito, resuenen eternamente en tu boca las diuinas alabanças.

MEDITACION V.

Del Manà, representacion deste Sacramento: ponderanse las diligencias en cogerla, sus delicias en comerle, y las circunstancias del guardarle.

PVnto 1. Meditaràs la marauillosa disposicion que precediò

diò en aquel Pueblo, para recibir el milagroso manjar. Salen de Egipto, y da sus tinieblas en busca de la luz para la vision de paz, passan vn mar, abismo de miserias, dexando anegados sus enemigos mortales; caminan por vn desierto, sin comunicar con las gentes, tratando con solo Dios: beben las aguas de Marà, juntantando la oracion con la mortificacion, faltales la comida de la tierra, para que apetezcan la del Cielo, que toda esta gran preparacion es menester, y viuir vna vida de Angeles para comer el pan de ellos.* Pondera tu, si para la figura sola, para vna sombra desta comida, precediò tanta disposicion; qual serà bastante para llegar a comer el pan sobre substancial, el Cuerpo, y Sangre del Señor, en verdadera, y no figurada comida? Como has de auer salido de la esclauitud del pecado? que lexos has de estar de la ignorancia de sus tinieblas? Como has de hermanar la oracion con la mortificacion, que trato con Dios? Que retiro de los hombres? Que abstinencia de los viles manjares? para lograr el Mana verdadero.

Punto 2. Estando tambien dispuestos, merecieron ser consolados de el Señor; embiales aquel exquisito manjar, con que quedan admirados, y satisfechos, no les embia

bia comida de la tierra, sino de el Cielo, para que viuan vida de allá; no sabe a solo vn manjar, sino a todos, al que cada vno desea, para que aduiertan, que todo el bien que pueden desear, alli le hallaràn cifrado; y assi atonitos dezian: que manjar es este tan raro, venido del Cielo, embiado de la mano de Dios? Con quanta mas razon puedes tu oy dezir: que comida es esta tan preciosa? Respondete la Fe, diziēdo? Este es vn Verbo, hecho carne; y esta vna Carne, hecha por vn Verbo Este es el pan de los Angeles, que los hombres se le comen, este es aquel pan que es regalo de los Reyes; este es el Manà verdadero que dà vida, y en vna palabra, esto es, comerse el hombre a su Dios, que como es bien infinito, encierra quantos sabores ay, gustale, mira quan suaue es, y como sabe a todas las virtudes y gracias.

Punto 3. Para vn manjar tan misterioso, misteriosas circunstancias se requieren: salian al alua a recogerle, en aquella virgen hora, sea este el primer cuidado del dia, menester es madrugar, cueste solicitud, y desvelo, antes que salga el sol, que como es tan puro, y delicado, con qualquier calor de mundo se deshaze. Recoge cada vno lo que basta, que no tolera humanas codicias, no se guarda para otro dia, porque quiere ser pan re-

reciente, y quotidiano, auisando de su frequencia. Conuiertese luego en gusanos, roedores de la delinquente conciencia. * Pondera, quanto mas puntuales, y misteriosas circunstancias, requiere este Manà sacramentado Sea este tu primer blanco, no te destraigas a otro empleo, no seas perezoso en buscarle, que te quedaràs vacio, tratale con pureza, no sea que en vez de darte vida, engendre los gusanos de tu muerte.

Punto 4. Quedaron fauorecidas aquellas gentes, mas no agradecidas, que de ordinario las mayores misericordias de Dios, se pagan con ingratitudes del hombre.

Asquearon luego el sabroso manjar, que como materiales no perciben los regalos de el espiritu, despreciaron el pan del cielo, y apetecieron las cebollas gitanas. * Temo alma, no seas tu aun mas desagradecida que estos, que quanto mayor es el fauor que has recibido, tanto mas culpable serà la ingratitud. Celebra este verdadero manà, y repite su fruicion, mas vezes que el Real Profeta en sus canticos de alabanças del que sola fue representacion: Preciate de buen gusto, y conozcase en no apetecer mas los viles contentos de la tierra.

MEDITACION VI.

Para comulgar con la deuocion de Zaqueo.

PVnto primero. O mi Dios, y mi Señor, quando los hinchados Fariseos no se dignan de miraros, vn Principe de los Publicanos solicita el veros: no llega a pedir remedio de sus males como otros, y no porque no sean los suyos mayores, pues de el alma, sino porque no los conoce. Traele la curiosidad de conoceros milagroso, no el deseo de seguiros santo. Vase entremetiendo, y no llega, que los ricos con dificultad se pueden acercar a vos pobre, y trabajado desde nacido; nadie haze caso dèl, porque auia hecho casa dellos. Viendose tan poco dispuesto, determina subir a vn arbol, a lo de hombre comun, y sin reparar en el dezir de los hombres, atropella por ver a Dios. * Pondera oy, alma mia, buando sales a comulgar, que vás en busca del mismo Señor, a conocerle sales, y a contemplarle: impedirte han el verle los accidentes de pan, que le rodean, y mucho mas las imperfecciones que te cercan; viendote pues de tan corto espiritu, como Zaqueo de cuerpo, leuantate sobre ti misma, sube en arbol de la deuota con-

contemplacion, ò en el de la Cruz de vna mortificacion perfecta, arraigado con la viua fe, verde con la esperança, lleno de frutos de caridad, y con los ojos del espiritu logra el verle, solicita el contemplarle.

Punt 2. Estaua Zaqueo viendoos Señor, muy a su gozo desde el arbol, con tanto gusto, quanto auia sido su deseo, haziase ojos por veros, y vos coraçones porque os viesse: gozaua de vuestra diuina presencia, experimentaua en su alma marauillosos efectos; y quando llegastes a emparejar con èl, mirastes al que os miraua, leuantastes vuestros diuinos ojos, que mirados, ò mirando siempre fueron

ron bienhechores Fueſeos la palabra tras ellos, y aun el afecto, y nombrandole por ſu nombre, porque entienda, que le atendeis, y que a èl ſe encamina vn tan grande fauòr. Zaqueo le dezis, deciende diligente, que oy me quiero hoſpedar en tu caſa muy deſpacio. O que gozoſa admiracion correſponderia a vna dicha tan impenſada! O lo que valen diligencias de el hombre para con Dios, pues el que antes tenia por gran felicidad, poder llegar a veros deſde lexos, ya baxa del arbol, y a ſeos acerca, ſe os pone al lado, y ſe sienta a la meſa con vos * Imaginome ſubido en el arbol de la contemplacion, apoyo de mi peque-

ñez,

ñez; deſeoſo de ver, y conocer al Señor, y que llamandome por mi nombre, me dize; a ti digo, decien de, acercate a mi ſacramentado, llega a comulgar, que oy me importa hoſpedarme en tu pecho; oy dize, no lo remitas a mañana, que ſabes ſi tendràs mas tiempo, y ſi el Señor dize, que le importa a ſu miſericordia, quanto mas a mi miſeria? Acude, ò alma mia, con diligencia feruoroſa a recibirle, de modo que no lo diga a vn ſordo de ignorancia, a vn pereçoſo de ingratitud.

Punt. 3. Con que preſteza obedeceria Zaqueo? Lo primero ſeria poſtrarſe, y adorar aquellos pies, que ſe dignauan ollar los vmbrales

les de su casa, bien quisiera fuera en esta ocasion vn gran palacio, para hospedar vn huesped tan magnifico, como le franquearia quanto tenia, poniendole a sus pies, quien assi lo repartia en manos de los pobres, la mitad, dize, de mis rentas doy, Señor, de limosna, y sin duda de aqui le nació la dicha, porque del hospedar al pobre, se passa a recibir al Señor; de dar de comer al mendigo, se llega a comer à Dios. Pero quando se viesse sentado a la mesa con el Señor, tan apegado con èl, a quien aun verle desde lexos no se le permitia, que gozo experimentaria en su alma, no cabria en si de contento, viendo cabia en tu casa el

in-

infinito Dios.* Pondera tu quando te vès sentado a la mesa del Altar mucho mas allegado a Christo, pues no solo a su mismo lado te sientas, sino que dẽtro de tu mismo pecho le sientes, guardado allà en tu seno; que contento deuria ser el tuyo; no aya otro en el mundo para ti, corresponda la estimacion al fauor, despertandose en ti vn continuo deseo de boluerle a lograr, desquitando el sentimiento de auer perdido tantas comuniones en lo passado, con la frequencia en lo venidero.

P.4. Quedó Zaqueo tan agradecido, quan gozoso, que los humildes son muy agradecidos, todo les parece sobrado, quanto

mas

mas vn fauor tan poco merecido: congratulauase con sus migos, ganandolos todos para Dios. Que gracias haria al Señor, ofreciendole quanto tenia, y en primer lugar su coraçon. Desde oy, Señor, q̃ os he conocido, os començarè a seruir, mudãça ha sido de vuestra diestra: leuantola el Señor, para echarle la bendicion, colmando su casa de bienes, y su alma de perfecciones. * Põdera, quãto mas agradecido deues tu mostrarte, pues si alli el Señor se digno entrar dentro de la casa de aquel Publicano, aqui dentro de tu pecho; alli cõbido Zaqueo al Señor, aqui el Señor te regala; alli le ofrecio Zaqueo toda su casa; aqui le has de ofrecer toda tu alma,

tu

tu entendimiento para conocerle, tu voluntad para amarle, suplicandole te eche su bendicion, no ya de hijo de Abrahan, sino de aquel grã Padre, que viue, y reina por todos los siglos. Amen.

MEDITACION VII.

Para comulgar con la confiança de la muger, que tocò la orla de la vestidura de Chisto.

PVnto primero. Considera, como auiendo padecido esta muger tantos años vna tan gran pension del viuir, achaque de la culpa, y viendo quan poco la auian va-

valido los medicos de la tierra, oy acude al del Cielo: preuienese en vez de paga, de vna rica confiança en el poder, y querer deste Señor; sabe que con este Medico diuino, el darha de ser pedir, y assi viene diziendo: yo sè, que si llego a tocar, aunque no sea, sino vn solo hilo de su ropa, tendrè seguro el de mi vida, aunque delgado. O grande muger! O gran misericordia del Señor! Otros medicos tocan al enfermo para curarle, aqui el enfermo toca al Medico para sanar: Yo conozco, dezia, su infinita virtud, grande es su poder, igual es su bondad, tan misericordioso es, como poderoso, toquele yo, que èl me curarà.

rá.* Reconoce tu los graues achaques, que en imperfecciones affixen tu alma esse fluxo de passiones refluxo de pecados, concibe vn gran deseo de sanar, que es la primera disposicion para la salud: Entiende, que aqui tienes el mismo Medico diuino, que sana a tantos enfermos, acude con viua fe, con heroica confiança, de que todo tu remedio consiste en tocarle, y recibirle.

Punto 2. Ceñia por todas partes el tropel de la gente al Saluador rodeado iba de coraçones, assisti do de afectos, y assi no la dauan lugar a esta muger para poder llegar a pedirle la salud cara a cara, que siempre se les ponen delante grandes estoruos, a los que tratan de acercarse a Dios: Viendo esto, diria no merezco yo tanta dicha de poder hablar a mi Dios, y mi Señor, siendo poluo, y ceniza; mas yo se, que es tanta su virtud, que con solo que yo toque la fimbria de su manto, quedare sana: ella creyò, y el Señor obró, tocò la ropa, y al mismo punto quedò buena. Otros muchos apretaron al Señor, y no sanaron, esta si que llegò con viua fe, con eterna confiança: no le tocò con sola la mano, acompañola con el feruoroso espiritu, y tocole al Señor en lo mas viuo, que fue en la grandeza de su misericordia. * Pondera aora, tu que llegas a comular, quanto ma-

mayor es tu dicha, pues no solo tocas el ruedo de su vestidura, sino a todo el Señor, tu le abraças, tu le aprietas, en tu pecho le encierras, todo entero te le comes, auiua pues tu Fe, enciende tu caridad, reconoce tu dicha, estima la ocasion. y pues tocas la orla de las especies sacramentales, concibe vna gran confiança, de que has de cobrar entera salud de todos tus vicios, y passiones.

Punto 3. Quien me ha tocado? dixo al punto Christo, y San Pedro, ò Señor, respondiò, están os apretando tantos, y por todas partes, y dezis, quien me ha tocado? Si, q aunque muchos se llegan a Iesus, pero no le tocan viuamente, no le adoran con espiritu: Esta si que le tocò en lo mas sensible de su infinita bondad, ella con feruor, ellos con frialdad, y assi ni el Señor los siente, ni ellos sienten su diuina virtud.* Oye, como te pregunta a ti el mismo Christo oy: Hasme tocado, alma, con fe viua, has comulgado con feruor, ò no mas de por costumbre? Quien es el que me ha tocado viuamente? O quantos llegan a comulgar, que no le tocan al Señor, ni aun en el mas minimo hilo de la ropa; quantos le reciben sin la deuida preparacion, y assi sin fruto, no sanan de sus llagas, porque no le tocan con sus coraçones, no curan, porque no se curan. Saca de aqui vn gran es-

espiritu para acercarte a este Señor sacramentado, de modo que èl sienta tu feruor, y tu experimentes su fauor.

P. 4. Admirada la muger de lo que siente, y lo que oye, de ver vna marauilla tras otra, llena de temor, y de amor, no menos de verse descubierta, que sana, confiessa a la par su dignidad, y su dicha: rinde gracias a sus misericordias. Llamòla hija el Señor, que fue confirmar su bendicion, y boluiola a encargar la confiança, pues tan bien le fue con ella. * Pondera que gracias deues tu dar a vn Señor, que no yá vn hilo de su ropa, sino todo su cuerpo, y su sangre te ha franqueado, que no solo te cõcede que le toques, sino que le comas? Sea comẽçar el hilo de sus alabanças sin romperle eternamente. O con quanta mas razon podrà llamarse hijo de Dios el que comulga dignamente, pues assi como el hijo viue por el Padre, assi el que comulga viue por Christo, porque se alimenta de su cuerpo, viue en Christo, porque permanece en el. Saca vn amor reuerencial quando llegas a tocar con tus labios, con tu lengua, y con tus entrañas este sacramentado Señor, y sea de modo que quedes tan agradecido, quan curado.

(?)

ME-

MEDITACION VIII.

De la entrada del Arca del testamento en casa de Obededon, y como la llenò de bendiciones.

PVnto primero. Contempla la castigada temeridad de Oza, què temor causaria en los presentes; temblaron todos los legos, viendo muerto el Sacerdote, y dirian, si este porque solo alargò la mano à detener el Arca en el temido riesgo, assi lo paga, què no merecerá el que la hospedare indignamente? El leuantò la mano, y todos la metieron en su pecho: todos temieron, y todos se retiraron, hasta el mismo santo Rey, receló indigno su Real palacio para tan gran huesped, y le juzgò insuficiente a tan diuino cortejo. * Ponderaràs tu aora, si vna Arca, que no fue mas de sombra deste diuino Sacramento, assi la zela el Señor, tal respeto la concilia, con tanta magestad quiere sea tratada; que reuerencia, que recato, que pureza, será bastante para auer de recibir al mismo inmenso, y infinito Dios, contenido en esta hostia? Si los Angeles assisten con temor, como tu te llegas sin recelo? Si la pureza de los solares rayos no basta para viril, como sera decente centro la vileza de tu coraçon, la inmundicia de-

de tu conciencia? Saca vna reuerencia temerosa, y vn respetoso temor, para llegar a encerrar toda la incomprehensible magestad del cielo, en la corta morada de tu pecho.

P. 2. Dispone el Rey sea lleuada el Arca a casa, no de vn Principe, sino de vn hombre virtuoso, q̃ es la verdadera nobleça: era grande en los ojos del Señor, porque humilde en los suyos. Confirmò el cielo la eleccion con multiplicados beneficios, eran muchas sus virtudes, pero mayor su humildad, grande su merito, igual su encogimiento. Llamauase Obededon, que significa sieruo del Señor, que es gran atractiuo de la di-

diuina grandeça, hazerse esclauo el que le ha de recibir; es la humildad la tablilla que nos muestra la posada de Dios. Teniase por mas indigno que todos de hospedar el Arca en su casa, pero executolo por obediencia, y assi pudo cantar las conseguidas vitorias, aunque no contar las recibidas mercedes. Con que diligencia la dispondria, adornandola mas de virtudes, que de preciosidades: no faltaria el temor de Dios afectuoso, ni el amor muy recatado. * Pondera tu, que has de hospedar oy, no la sombra, sino el Sol mismo, aunque dentro la nube de los accidentes, no ya la figura, sino la realidad de vn Dios, real,

real, y verdaderamente encerrado en esta hostia, no en tu casa, sino en tu pecho, como te deues disponer, como deues adornar el templo de tu alma, de riqueza en virtudes, de alajas en meritos? Mira que oy dispone el Rey del cielo, que entre el arca de su cuerpo Sacramentado baxo tu techo, en tus mismas entrañas: aduierte pues, con que confusion la deues recibir, con que reuerencia cortejar.

P. 3. Entrò el Arca del Señor en casa de Obededon, fauorecida primero en recibirla, y dichosa despues en recibir bendiciones: no fue casa vacia, sino llena de deuocion; tampoco lo fue el

Ar-

Arca , llena si de los tesoros del cielo, colmandola de felicidades. Que gozoso se hallaria Obededon al ver, que quando èl temia rigores, experimentaua fauores; tanto se premian seruicios de obediencia, obsequios de humildad. Pagole bien el hospedaje el Señor, que como tan gran Rey , donde vna vez entra, nunca mas se conoce miseria. * Pondera tu, que mercedes no te puedes prometer el dia que esta Arca verdadera, no vacia, sino llena del diuino maná del cuerpo , y sangre de Christo verdadero Dios, y Señor entra en tu pecho? Aquella fue la caxa , esta la jòya, aquella llenò de bienes la casa de Obededon, porque fue figugura desta: quanto mas colmarà esta de fauores tu coraçon, logra la ocasion que tienes, aduierte que aqui están todos los tesoros de Dios, la mina rica de la gracia, sabe pedir, que el mismo Rey en persona tienes hospedado en tus entrañas.

P.4 No fue la menor de las recibidas mercedes, el agradecimiento de Obededon, y de todos los de su casa: y fue tan grande, que llegó a ser fama: no se hablaua de otro en toda Israel, celebrando todos las felicidades de su casa; emulauanle la dicha, y pudieran la virtud. Hasta el santo Rey Dauid, ya animado tratò de lleuar el Arca a su Real Palacio, deseando do emplearse en los obsequios, y participar de los beneficios. * O tu que oy has comulgado, mira q̃ no enmudezcas a las diuinas alabanças, parte es de merced el agradecimiento; y pues te reconoces tanto mas fauorecido, que Obededon, muestrate otro tãto mas agradecido: serán estas gracias empeño de nueuos fauores, y pues todos los de tu casa han participado de las diuinas mercedes, todas tus fuerças, y todas tus potencias se empleen en alabar al Señor: combida a las genaraciones de las generaciones, con el S. Rey Profeta, te ayuden a cantar las misericordias del Señor por todas las eternidades de las eternidades, Amen.

ME-

MEDITACION IX.

Para llegar a comulgar, con el encogimiento de San Pedro.

PVnto primero Considera, que si Iuan merecció recibir tantos fauores de su diuino Maestro por lo virgen, Pedro los cõsiguiò por lo humilde, Iuan fue el dicipulo amado, Pedro el humillado, auia de ser cabeça de la Iglesia, y superior de todos por su dignidad, pero èl se hazia pies de todos por su humildad. Lo que le arrebataua el feruor en las ocasiones, le detenia su encogimiento, no osaua preguntar al Señor, y assi y assi el Señor le pregunta a èl: quando los otros pretendian las primeras sillas, èl no se tenia por digno de estar delante de su Maestro. Agradado el Señor deste encogimiento, dexando las otras barcas, entra en la suya, desde ella predica, y en ella descansa: lleuaua Pedro las reprehensiones, pero gozaua de los especiales fauores. * Pondera, que buena disposicion esta de la humildad para llegar a recibir a vn Señor que se agrada tanto de los humildes: y para auer de comulgar, procura preuenirte deste santo encogimiento; retirate reconociendo tu baxeza, para que el Señor te adelante a gozar de su grandeza; sien-

sientate en el vltimo lugar, en este diuino combite, que el Señor te subirà mas arriba; humillate quando mas quisieres agradar, a vn Señor, que se le vàn los ojos tras los mansos, y pequeños.

P. 2. Desvelados los Apostoles trabajaron toda vna noche, y nada cogieron, porque no les assistia su diuino Maestro; estauan a escuras sin su vista, y de valde sin su assistencia, que donde èl falta, nada sale con felicidad. Passó ya la noche de su ausencia, amaneció aquel Sol diuino, y todo se llenò de sus alegres influencias. Abriò San Pedro los ojos de su fe, y conociose a si mismo, y a su diuino Maestro, reconociò su pro

pria flaqueza, y el poder del Señor, su vileza, y su grandeza, en si
hallò nada, y en Dios todo; y assi
dixo: diuino Maestro, toda la noche hemos remado, y nada conseguido, que sin vos nada somos,
y nada valemos; mas aora en vue
stro nõbre calarè las redes: executolo con esta confiãça, y logrò
el lãce cõ doblada dicha, pues pu
dieron llenar ambas barcas de la
abũdãte pesca. * O alma mia, tu
q̃ andas toda la noche desta tene
brosa vida, çoçobrando en el in-
constante mar del mundo, donde no ay hallar, ni seguridad, ni
sossiego; oye lo que el Señor desde aquel viril te està diziendo:
echa el lance de tus deseos a la
ma-

mano derecha de las verdaderas felicidades, y llenaràs tu ſeno de los eternos bienes: cala la red ázia el cebo deſta Hoſtia, y te apacentaràs, no ya de los ſabroſos peſcados, ſino de mi miſmo Cuerpo. Mirale con los ojos de la fe de Pedro, vè careando tu pobreza, con ſu riqueza; tu cortedad, con ſu infinidad; tu flaqueza, con ſu omnipotencia; tu nada, con el todo, y dile: Señor, ſin vos nada ſoy, nada valgo, y nada puedo.

P. 3. Confundeſe S. Pedro cõſiderandoſe pecador ante aquella inmenſa bondad, aniquilaſe flaco ante el infinito poder, y lleno de humilde encogimiẽto, viẽdose en la presencia del Señor, exclama temeroso, y dize reuerente: Señor, apartaos de mi, que soy vn gran pecador: retiraos, ya que yo no puedo huir de vos, que fue dezir, quien soy yo, y quien sois vos, Señor; yo, vna vil criatura; vos, el omnipotente criador; yo la misma ignorancia; vos, sabiduria infinita; yo, fragil, que soy soy, y mañana desaparezco; vos, indefectible, y eterno; yo, vn vil gusano de la tierra; vos, el soberano Monarca de los Cielos; yo, flaco; vos, todo poderoso; yo, corto; vos, inmenso; yo, pobre mendigo; vos, la riqueza del Padre; yo, necessitado; vos, independente; yo, al fin nada; y vos, todo: Señor

ñor mio, y Dios mio, como me sufris en vuestra presencia?* O alma mia, con quanta mas razon podrias tu exclamar, y dezir lo que Sã Pedro? Que si èl por solo estar delante del Señor, assi se confunde, y se aniquila; tu que no solo estàs en su diuina presencia, sino que le tocas con impuros labios, que le recibes en inmunda boca, que le metes en tã villano pecho, que le encierras real, y verdaderamente en tus viles entrañas, como no dàs vozes, diziendo: Señor, retiraos de mi, que soy el mayor de los pecadores? Como me podeis sufrir ante vos, Dios mio, y todas mis cosas; yo nada, y todas las nadas.

Con que reuerencia, con que pasmo, con que confusion auias de llegarte a comulgar a vista de tan inmensa grandeza!

P. 4. No le echa de su presencia el Señor a Pedro, antes le vne mas estrechamente consigo, està tan lexos de apartar los ojos de su humildad, que se le ván tras ella, no le niega el rostro, franqueale si el coraçon, y agradado de su recatado encogimiento, trata de encomendarle sus tesoros, las margaritas mas preciosas, y que mas le cuestan, sus cordetillos, y ouejas. Quedó Pedro tan agradecido, quanto antes retirado, dós vezes confundido de la repetida benignidad de su Señor,

ñor, y si antes se negaua a su presencia, ya se adelanta a su alabança, desempeñãdo humildades de su desconfiança, en animosos agradecimientos de su dicha. *
O Señor mio, y todo mi bien, quanto mas obligado me reconozco yo oy, quando llego a recibiros, pues no solo me permitis estar ante vuestra infinita grandeza, sino que os dignais de estar vos mismo, real, y verdaderamente dentro de mi pecho, vos en mi, y yo en vos, que sois mi centro, y todo mi bien, sea yo tan puntual en los obsequios, como vos generoso en los fauores, no se muestre villano vn pecho tan priuilegiado, y fauorecido, y sea

la confession de mi vleza, pregon repetido de vuestras inmensas glorias. Amen.

MEDITACION X.

Para recibir al Señor con las diligencias de Marta, y las fineças de Maria.

PVnto primero. Contempla quando las dos hermanas en sangre, y mucho mas en el espiritu, entendieron que el Señor iba a honrarles su casa, que estimacion concibirian, que gozo recibirian de vn tan grande fauor Con q deseo esperaria Madalena a aquel Señor, que algun dia

dia cõ tanta ansia auia ido a buscar; y si tuuo entonces por gran dicha el ser bien recibida, oy estimaria por singular fauor el poderle recibir. Que preparacion harian tan grande, las que tambien conocian la mageſtad, y grãdeza del hueſped, que eſperauan. Grande seria el adorno de las salas, mayor el de sus coraçones, y las ricas alhajas simboliçariã sus preciosas virtudes. * Pondera tu, que el mismo Señor, real, y verdaderamente viene oy en persona a hospedarse en el castillo de tu coraçon, trata de entregarle las llaues, que son tus potencias, y sentidos: hermanense tu voluntad, y entendimiento para assis-

assistirle con estimaciones, y fineça: preceda vna grande preparacion de alhajas en virtudes, con mucha limpieça de conciencia, oliendo todo a gracia, y santidad.

Pun. 2. Vase llegando el diuino Maestro a las puertas del castillo, ostentando en su diuino rostro, vn celestial agrado: saldrianle a recibir las dos hermanas con afectuosa reuerencia, seguidas de toda su familia, porque todos se empleassen en seruir al Señor. Que gozosas le recibẽ, que agradecidas le saludan, qué corteses le agasajan; pareceme que estoy viendo a Marta muy solicita, y a Madalena afectuosa. Pero con q̃ so-

ſoberana apacibilidad correſpõ-
deria el Señor a ſus afectos: lle-
uarianle en medio, en emulacion
de ambos Serafines, aleando en-
trambas, la vna amando, y la o-
tra ſiruiendo. Conduciriãlea la
mos aliñada pieza, digo al centro de ſu coraçon, y alli no per-
derian punto de oir ſu celeſtial
conuerſacion, de gozar de ſu di-
uiua preſencia. * O tu que recibes oy al miſmo diuino hueſped,
mira que llega ya a las puertas
de tus labios, al caſtillo de tu pecho, ſalte el alma de contento a
recibirle, acompañada de todas
ſus potencias, y ſentidos, ſin que
ninguno ſe diuierta. Salga la ſo-
licitud de Marta, y la deuocion
de

de Maria: auiuese tu fe, esfuercese tu esperança, enciendase tu caridad, y conduccele al adornado centro de tu coraçon.

P. 3. Diuidense las dos hermanas, los dos diferentes empleos, aunque ambos dirigidos al diuino seruicio. Acude Marta a preuenir el regalo material, quedase Maria gozando del espiritual; Marta prepara la comida, Maria goza del pasto de la celestial dotrina, y como acostumbrada a los pies de su Maestro, donde hallò el perdon, aora solicita el consuelo: prosigue amante, la que ya penitente; con que fruicion assistiria a la Real diuina presencia; que absorta, oyendo pla-

platicar a Christo, que altamente guardaria aquellas palabras de vida eterna? O que consuelo siente vn alma puesta a los pies deste Señor despues de auerle recibido: que oracion tan prouechosa, q̃ comunicacion tan agradable! Dà quexas Marta al Señor, de que su hermana la aya dexado sola, cõfessando la desigualdad de su empleo, y ponderola el Señor, con aquellas tan magistrales palabras, diziendo: Marta, Marta, toda tu solicitud de la cõmida del cuerpo, es turbacion, y sossiego la del espiritu, De verdad que solo vn mãjar es necessario, y esse dá vida eterna: bien supo escoger Maria. * Oye alma como mo te dize el mismo Señor a ti otro tanto, que te distraes en los bienes perecederos? Que cuidas de los manjares de la tierra? No ay regalo, como el diuino Sacramento; llegate a mi, y goza de mi dulce presẽcia, recibeme en tu pecho, y estate aqui conmigo, que esta es la bienauenturança de la tierra; no pierdas este buen rato de vna santa, y feruorosa comunion.

P. 4 Que agradecida quedaria Madalena al duplicado fauor, q̃ desengañada Marta, de que no ay otro comer, como gustar del Señor, apaçentarse de su celestial dotria, y gozar de su diuina presencia. No respondiò palabra Ma-

Maria, que eſtaua toda pueſta en amar, y agradecer, y quien aſsi recibe fauores de ſu Dios, no repara en agrauios de ſu proximo; habla con el coraçon, quien biẽ ama, remitiendo las palabras a los hechos. * Aprende tu, ò alma mia a eſtimar, y agradecer: ſean alabanças los ſuſpiros, y vna comunion agradecido obſequio de la otra; habla con el coraçõ, ſi amas, y ſea tu vnico cuidado aſsiſtir, y cortejar ol Señor, que has recibido. Saca vn haſtio grande a todos los cõtentos humanos, y apetece ſolo el manjar diuino: mas cercano tienes al Señor que Maria, pues no ſolo te concede eſtar a ſus pies, ſino eſtar el dentro

tro de tu pecho, reconoce doblado el fauor, y rinde doblado el agradecimiento.

MEDITACION XI.

Del banquete de Ioseph a sus hermanos.

PVnto primero. Carea la benignidad de Ioseph, con la crueldad de sus hermanos, todos conspiran en vender, quien. vn hermano por su ternura amable, y por su inocencia apacible, porque? sin culpas propias, antes por las agenas. A quienes? a vnos tan enemigos, como infieles, tan barbaros como gitanos.

Por

Por quanto? por el precio, y la inocencia de vn cordero. Con q̃ palabras, cargandole de injurias, llamandole Principe fingido, y arrandole de oprobios, como a sol soñado. De que modo? despojandole de la tunica, sino inconsutil, talar. A donde le echan? al desierto de vn Egipto, al oluido de vna carcel.* Alma, quien es este verdadero Ioseph, vendido, injuriado, y maltratado? el benignissimo Iesus, amable por lo hermano, y venerable por lo Señor. Quien le vendiò? tu, vil y ingrata criatura. Por quãto? por vn vil interes, por vn sucio deleite. De que modo? pecando tã sin temor, ofendiendole tan sin verguença. Quantas vezes? cada dia, cada hora, y cada instante. Confundete, pues, oy que llegas ante su diuina presencia con mas causa que los hermanos de Ioseph, que aqui le tienes, no Virrey de Egipto, sino Rey del Cielo si aquel dissimulado este encubierto; si aquel les daua trigo, este Señor se te dà en pan. Entra reconociendo tus traiciones, antes de recibir sus fauores; pidele que te perdone; antes que te cõbide; echate a sus pies, antes q̃ te sientes a su lado; mezcla tus lágrimas con la bebida, y come la ceniça de tu penitencia, con el pan de su regalo.

P. 2. Considera el mansissimo Io-

Ioseph; con que amor correspon
de al odio de sus hermanos; no
se contenta con hospedarlos en
su casa, sino que los mete dentro
de sus entrañas; trueca las ven-
gançàs de ofendido, en finecças de
amoroso, reconociendo a los q̃
le desconocieron, y honrando a
los que le injuriaron; enlaça con
cariñosos abraços a los que le ata
ron con inhumanos cordeles, y
en vez de laço al cuello, retorna
afectuosos abraços; trata de enriquezer a los que le desnudaron,
y llena de dones, a los que de bal-
dones; despierta cõ ello los que
le tuuieron por dormido, y adoran verdadero, al que despreciaron
soñado; no solo les dà el tri-

go que vienen a buscar, sino que los sienta a su mesa, y los festeja con esplendido banquete. * O bondad infinita! O benignidad incomprehẽsible del dulcissimo cordero Iesus! En la misma noche en que era entregado a sus enemigos en vengança; se entrega èl a sus amigos en comida, recambia las amarguras, en dulçuras, brinda con su Sangre a los hombres, que andan traçando bebersela y quando ellos aspiran a comersele a bocados por rencor, èl se les dà en banquete por amor; brinda con la dulçura de su caliz; a los que le preparan la hiel, y vinagre; trata de meterseles en el pecho, a los q̃ le han de abrir

abrir el costado : toma el pan en las manos liberales , que han de ser barrenadas con los clauos: alargalas con liberalidad, quando han de ser estiradas con crueldad : endulça con leche, y miel aquellas bocas que han de escupir su rostro. Dime aora pecador, puedese imaginar mayor ingratitud que la tuya , ni mayor bondad que la del Señor? Coteja estos dos estremos, y echate a los pies de vn tan buen hermano, reconociendo tu culpa , solicitando el perdon ; que no es posible te le niegue , el que se te dâ todo en comida.

P.3 Oluidando antiguos agrauios Ioseph inuenta nueuos fanores, y quando todo el mundo está pereciendo de hambre, dispone hazerles vn banquete, comed les dize, que yo soy Ioseph, no enemigo, sino muy hermano vuestro, no enojado, sino misericordioso; comian como ambriētos, y èl les hazia plato, y quando con solo pan se contentaran, para satisfazer su hambre, logran saçonados manjares para su regalo; no inuidian el manojo superior, sino que gozan de sus frutos: y el Benjamin sin culpa, como era lobo rapaz, tragaua al doble que todos. * O tu que estás sentado a la mesa del altar, reconoce tu buē hermano Iesus, que no solo te combida, sino que se

te

te dá en comida, fiase de ti, pues se entra dentro de tu pecho, y se mete en tus entrañas: mira que no le bueluas a hazer traicion, cometiendo nueuas culpas: come como hambriento, y lograrâs el regalo, que quando los demas perecen de hambre, a ti te sobran las delicias; come con desahogo, y confiança, que essa casa, y essa mesa, siendo de Iesus tu hermano, tuya es; y te està diziendo: yo soy Iesus a quien tu vendiste, y perseguiste, no enojado, sino perdonador, acercate a mi sin recelo, y colocame en tus entrañas con amor.

P 4. Boluerian los hermanos tan agradecidos, quan satisfechos ; yà de los beneficios recibidos, ya de las injurias oluidadas ; como irian por el camino celebrando su dicha, pues quando temieron castigos, experimẽtaron honras, y fauores. Con q̃ diligencia caminarian a lleuar las buenas nueuas a su padre, del hijo Ioseph viuo, los que se las lleuaron tan tristes algũ dia de desperdaçado. Como se congratularian con su buen padre, de la reciproca dicha del hermano, y como alternarian con èl las gracias y alabanças al cielo, hariãse len guas en repetir vna y muchas vezes el suceisso, y no se contentarian con que lo relatasse vno, sino que todos lo boluerian a repepetir. * Alma mas deue a quien mas se le perdona; que gracias deues tu rendir a vn Señor que tantas vezes te ha perdonado, y sentado a su mesa; lleua las buenas nueuas al Padre celestial; lleguen hasta el cielo los nueuos canticos de tu agradecimiento, boluiendo vna y muchas vezes a repetir tu dicha, y a frequentar la mesa del Altar.

MEDITACION XII.

Para recibir al Señor, con la humildad del Publicano.

PVnto primero. Considera como se dispone este gran peca-dor

dor, para poder parecer ante el diuino acatamiento, preuienese de humildad, todo lo que le falta de virtud: aonda en el propio conocimiento, para poder llegar a la infinita alteza: no halla en si sino culpas, y en Dios misericordias. Quien soy yo diria, q me atreua a entrar en la casa del Señor? Yo tan malo, y el tan bueno; yo abominable pecador, y èl tan amable Señor; yo soy vn vil gusano, y assi irè rastrando por el suelo a su templo: todo lo avra de poner el Señor de su casa, quando yo nada tengo, y nada puedo: vn monstruo he sido en el pecar, mas al Señor es vn prodigio en el perdonar: confiado pues en su bon-

bondad, lo que confundido de
mi malicia, aunque sea vn poluo
enfadoso, vn lodo inmundo, tengo de entrarme oy por las puertas de su casa; encuentra al subir
con vn Fariseo, y cōfundese mas
viendose pecador a vista de a-
quel, que tiene por espejo de virtud, que de todo saca materia de
humiliacion. * Pondera, ó tu que
has de subir oy al templo, no solo a hablar cō el Señor, sino a recibirle, no solo a ponerte en su
presencia, sino a ponerle dentro
de tu pecho, siendo vn tan gran
pecador, con que confusion deues llegar? no subas como Fariseo, sino como humilde publicano, no te mueuas con el pie de la
so-

soberuia, aondando en tu propia baxeza, confessando tu indignidad, y inuocando la infinita misericordia.

Pun. 2. Entra en el templo temeroso el Publicano, que ya poco fuera reuerente, pero que mucho; siue temblar las mismas columnas del cielo; quedase lexos por humildad el que se alexó por el pecado, escoge para si el infimo lugar, teniendose por el mayor pecador, aun al Fariseo no se osa acercar, quanto menos a Dios: busca vn rincon del templo, el que no osa parecer en el mundo, y aun esse le parece sobrado fauor: no se atreue a mirar al cielo, porque sabe pecó con-

contra èl: hiere el pecho con repetidos golpes, yà para castigarle culpado, yá para despertarle adormecido: llamando està la su coraçon, y al cielo para ablandarlos a entrambos. Señor; dize, sed propicio para mi pecador, assi como lo sois para todos, q fue dezir: Señor, yo soy el pecador, vos el perdonador grãde es mi miseria, mayor es vuestra misericordia: Señor gran perdon, segun vuestra grã bondad, y segun la multitud de vuestras cõmiseraciones, borrad la multitud de mis pecados * Contempla alma mia este exẽplar de penitẽcia: si este Publicano, aun de hablar con Dios desde lexos, se juz-

juzga indigno, como te has de llegar tu a recibirle? èl se queda en vn rincon, como te atreues tu acercar al altar? El no osa abrir los ojos para ver a Dios, y tu abres la boca para comulgar? El hiere su pecho ànte el Señor, y tu le metes dentro de tu pecho: el se aniquila pecador, y tu tanto mayor no te confundes, que hazes que no das vozes, diziendo al Señor: sed propicio para mi tambien, aunque soy el mayor de los pecadores: Señor, grande es mi confusion, sea grande vuestro perdon: Señor, en mi està la miseria, pero en vos la misericordia.

Pun 3. O poderosa humildad! Contempla quan agradable es à Dios;

Dios; no parecia tener cosa buena el Publicano, sino la humildad ni otra mala el Fariseo, sino la soberuia, y aquella agradò tanto al Señor, que le atraxo a donde estaua; y esta le ofendiò de suerte, que de todo punto le ausentò: Echo la altiuez al Farisco del mas alto lugar, y la humiliacion, realçò al Publicano del mas baxo, que no es nueuo en la soberuia, hazer de Angeles demodios, assi como en la humildad, hazer de pecadores Angeles. Ya mira el Señor, al que no le osaua mirar, y aparta sus ojos del que se complaze en si mismo, ocupa la diuina gracia aquel pecho, que ocupò la confusion, y es admitido do de los Angeles, el que es desechado del Fariseo. Hallase el Publicano con su Dios, y Señor, dentro de si por la gracia, ya le hospeda en su coraçon, que contento le adora, que afectuoso le abraça, que dichoso le goza. * Alma llega tu con humildad al Altar, que assi quiere el Señor ser recibido: no ay mayor agasajo para tanta alteza, que el conocimiento de tu baxeza, assistele con encogimiento, y le gozaràs con mas dicha: anquilate tu para engrandecerle á el: desprecia tu nada, y lograrás el todo.

P. 4. Que contento baxaria el Publicano, como tambien despapachado; subió lleno de dolor, y baxa lleno de consuelo: poco hablò al pedir, mucho si al agradecer: si antes cōfessara sus culpas, pregona ya las misericordias del Señor. Dauale saltos de contento el coraçon, que recibiò tantos golpes de penitencia, no cabiendole en el pecho aora de gozo, ni antes de sentimiento, y es sin duda que no bolueria por el mismo camino, sino por el de la virtud, a la inmortal corona. *O tu que has comulgado, dà gracias al Señor, como el Publicano, y no cō el Fariseo, de las culpas perdonadas, no de las virtudes presumidas, no blasones merecimiētos, agradece si misericordias: buelue de la sagrada comunion muy otro, y por diferente camino, no sea por el mismo, porque no te buelvan a emprender tus passiones que te aguardan, ni los vicios passados que están a la espera, y si el venir fue llorando, el boluer sea cantando con el manojo del pan del cielo: dà gracias, pues recibiste perdones, y ensalça à vn Señor, que pone sus ojos en los humildes.

MEDITACION XIII.

De la magnificencia con que edificò Salomon el Templo, y el aparato con que le dedicò, aplicado à la Comunion.

PVnto primero. Considera la magestuosa grandeza del Templo

plo de Salomon: no quiso el Señor se lo erigiesse el belicoso padre, sino el hijo pacifico, y sabio, q̃ es de sabios amar la paz. Siete años tardó en cõstruirle, empleã do su sabiduria, q̃ fue la mayor, y su poder, que fue igual, y toda esta magnificẽcia, riqueza, artificio, ornato, y magestad, fue para colocar vna arca, que no era mas que sombra, vna figura, vna representacion de este diuinissimo Sacramento. * Põdera tu oy que has de colocar en tu pecho, no la sombra, sino la misma luz, no la figura, sino la misma realidad; no el arca del testamento, sino al mismo Dios, y Señor sacramentado, que templo de deuouocion devrias tu cõſtruir? Que ſanta ſantorum de perfeccion, y ſantidad enmedio de tu coraçõ? Si Salomon gaſtó ſiete años en edificar el templo material, emplea tu ſiete horas, ſiquiera, en preparar tu alma, quando fuera poco toda vna eternidad. Compitan con las piedras finas, las virtudes, ſuceda al oro brillante, la encendida caridad: truequenſe las maderas oloroſas, en fragantes oraciones; los aromas en ſuſpiros, y campee, no ya la ſutileza del arte, ſino la hermoſura de la gracia.

P. 2. Llegó el feſtiuo dia tã venerado, como deſeado de la dedicacion del templo; concurriò toda da Israel, a hospedar, y a cortejar su gran Dios: venian todos vestidos de gala, y reuestidos de deuocion: ardian las victimas a par de los inflamados coraçones; como era fiesta comun de todos, participaron todos, grandes, y pequeños, pobres, y ricos, del vniuersal consuelo. Pero entre todos se señaló el Religioso Principe, dando a todos animo, y exemplo. Hincó en tierra ambas rodillas, y fixo ambos ojos en el cielo, lastrando con humildad el buelo de su Oracion: y fue tan eficaz, que atraxo al Señor con sus plegarias. Llenòse el templo de vna obscura niebla, decente velo a la inaccessible magestad in creado. Sintieronse todos bañados de consuelo, y reconocierõ presente la gloria de su Dios, y Señor. * Alma, que festiuo aparato preuienes tu el dia que comulgas? Aduierte que se consagra en templo tu pecho, y en morada del mismo Dios. Acudan todas tus potencias a la gran solẽnidad; sea tu coraçõ el santa santorum animado, donde estèn aleando, el entendimiento Cherubin admirado, y la voluntad Serafin encendido. Iubile tu interior a su santo nombre, y cante la lẽgua sus alabanças; alerta, que desciende el Señor cubierto de la niebla de los accidentes, a lo intimo de tus entrañas.

P. 3.

P.3. Entre gozoso, y atonito el sabio Rey, exclamo con aquellas memorables palabras, dignas de ser repetidas de todos los que comulgan. Que es posible, dize, que estè en la tierra el Señor? aun el imaginarlo espanta. Dios en el suelo, quando no cabe en el cielo? El cielo es corto, que será esta casa? *O con quanta mayor razon podrias tu dar vozes el dia de oy, que há hospedado al gran Dios de Israel, en tu mismo pecho; y dezir: Que es possible que mi grã Dios se digne de venir a mi, y que el inmenso quepa en mi pecho? *Vere*, de verdad que le encierre yo en mis entrañas: *Super terram*? Dios, i en

la tierra, Dios, y en vn coraçon tan terreno como el mio, amasado de lodo? Saca vna humilde confusion, vn religioso pasmo, y vn reconocido agradecimiento
P. 4. Quando parecia auerse desempeñado el sabio Rey, con tã releuantes obsequios, se reconoció mas obligado con tan especiales fauores del Señor, que en cõpetencias de darsiempre, salió vencedor. Vio logrado Salomõ su trabajo, pues tan honrado con la especial asistencia de Dios: era sabio, y assi seria reconocido: tãtas vozes, como tantas vezes resonarõ en adelãte en aquel templo, fueron otros tantos agradecimientos. No se hablaua de otro

tro en toda la Idumea, ni aun en toda la redondez del vniuerso, siendo tan ensalçado, quan conocido el nombre del gran Dios de Israel. * Pondera tu, que oy has recibido tantos fauores del Señor, y al mismo Señor de los fauores, quã empeñado quedas en celebrarle, y seruirle: sè agradecido, si eres sabio, resuenen los ecos de tu coraçon en las alabanças de tu lengua, no se te oiga hablar sino de Dios, el dia que le cõsagraste el tẽplo de tu pecho, y sobre todo guarda de profanarle, ni con pensamientos, ni con palabras, ni cõ obras: sea vn santa santorum de perfecciones, donde arda siempre el fuego del amor.

ME-

MEDITACION XIV.

De la fuente de aguas viuas, que abrio el Señor en el coraçon de la Samaritana, aplicada a la sagrada comunion.

PVnto primero. O mi buen Iesus, Dios mio, y Señor mio, y que sediento caminais en busca de vna muger tã satisfecha de sus delitos: vil si, desdichada no, pues topa con el manantial de las dichas. O como se os conoce, Señor, lo que estimais las almas, y que por vna sola huuierades hecho loque por todas: quemucho vengais à buscarla desde lexos, si des-

descendisteis, y a del sumo cielo: no me admiro de veros sudar hilo à hilo, pues algun dia sudarèis sangre, y correrán arroyos della de vuestras llagas: pero que oluidada llega la Samaritana de vos, y quan en la memoria la teneis, i aun en el coraçō. Ignorante ella de los eternos bienes, hidropica de sus gustos perecederos, solicita los algibes rotos, y dexa la fuente de aguas viuas; que poco se pensaua hallar la verdadera dicha, que no piensa sino en hallarla a ella: venia en buscadel agua, simbolo de los fugitiuos contentos, y hallò la vena perdurable de la gracia.* O alma mia, y como que te sucede oy lo mismo, tu-

tu andas perdida en busca de los deleznables cõtentos, y el Señor te está esperando, sino en la fuente de Iacob, en la del altar, verdadero, y perenne manantial de su sangre, y de su gracia: ea llegate sedienta a aquellas cinco fuentes de tu salud, dexate hallar de quiẽ te busca, logra la ocasion, y apagarás la sed de tus deseos. Saca vn verdadero conocimiento de su misericordia, y tu miseria, de tu oluido, y su cuidado.

P. 2 Comiença á disponerla Christo, para hazerla capaz de sus infinitas misericordias; entra pidiendo para dar, y pidela vna gota de agua, el que ha de verter toda su sangre por ella: empeñase se en pedir poco, para dar mucho; ò que sed tiene de dar, que deseo de comunicar sus celestiales dones! Con deseo he deseado, dize el mismo Señor, hambriento de nuestra hartura: agua pide, mas es de lagrimas, que limpien el alma, que blãqueen la cõciencia, donde se ha de hospedar; sed tiene de que apaguemos la nuestra. * Aduierte alma, que el mismo Señor, real, y verdaderamente en este diuinissimo Sacramento, te esta diziendo á ti: alma dame de beber, lagrimas te pido, compadecete de mi sed, que me durò toda la vida; no me dès la hiel de tu ingratitud, ni el vinagre de tu tibieça, venga vna lagri

ma

ma si quiera derramada por tantas culpas: abranse essas fuentes de tus ojos, quando en diluuios se te comunicã las de mi sangre: brindale a tu Redemptor con lagrimas de amargura, para que èl te anegue a ti en abismos de dulçura Saca vn gran desprecio de los mundanos deleites, y vna grã sed de los diuinos contentos, para gozar eternamente desta perene fuente de la gracia.

P. 3. Niega la vil criatura, no menos que a su Criador, vna gota de agua, que la pide; ay tal ingratitud! pero esta tan lexos el Señor de desampararla, que antes toma de aqui ocasion para fauorecerla: juzga la Samaritana

na que tiene bastante fundamento para negarle vn poco de agua, assi como todos los que se escusan de seruirle. Replica Iesus, oluidado de sus deseruicios, instãdo en nuestros bienes. O muger, si conociesses el don de Dios, y para ti, y en esta sazon! si supiesses con quien hablas? Conmigo fuente perenne de todos los bienes, mina de los tesoros, manantial de los verdaderos cõsuelos, como tu me pedirias à mi, y yo a ti te franquearia, no vna gota de agua, si no vna fuente entera de dichas, y misericordias, que dá saltos ázia el cielo, y llega hasta la vida eterna. * Oye hija, inclina alma tu oreja, que el mismo
Se-

Señor desde el altar te dize á ti lo mismo. O si supiesses, ó si conociesses este don de dones, esta merced de mercedes que oy recibes quando comulgas? si supiesses quien es este gran Señor, q̃ encierras en tu pecho, tu unico bien, todo tu remedio, tu cõsuelo, tu felicidad, tu vida, y tu centro: el que solo puede llenar tu coraçon, y satisfazer tus deseos; como que le pedirias este pan de vida, como frequẽtarias cõ mas feruor la fuente de las gracias, la mesa del altar. Auiua tu fe, alienta tu amor, y echate de pechos sedienta en esta copiosa fuente de su sangre, bebe hidropica de sus llagas, y llenate alma de Dios.

P. 4. En auiẽdo conocido la Samaritana a su Criador, y Redentor, que gozosa parte, hecha de pecadora predicadora; no buelue las espaldas a la fuente ingrata, sino que parte para boluer otra, y muchas vezes agradecida: va a comunicar su bien comunicado, á pagar en alabanças sus misericordias, a cõgratularse de su dicha. Entra por su pueblo pregonando a vozes el hallado Messias: no la cabe el contento en el pecho, y assi rebosa en los proximos, primicias de su caridad; conuoca no ya siete solos para la ofensa, sino todos para el obsequio. * Pondera alma, quanto mas agradecida te deues tu mostrar á este Señor, que no ya vna fuente de agua, sino todas las cinco de su preciosa sangre, te ha franqueado oy, quedando tu bañada en el abismo de sus misericordias; sele reconocida, y serás agradecida; hazte pregonera de sus dones, comunicando a todos, y con todos esta dicha, que por esto se llama comunion.

MEDITACION XV.

Para comulgar con la reuerencia de los Serafines del trono de Dios.

PVnto primero. Contempla aquella inmẽsa magestad del infinito, y eterno Dios, que sino ca-

cabe en los cielos de los cielos, quanto menos en la tierra de la tierra, atiendele rodeado de las aladas Gerarquias, asistido de los cortesanos espiritus, amandole vnos, contemplandole otros, y todos alabandole, y engrandeciendole. Aqui si pudiera desfallecer tu alma cõ mas razon, que la otra Reina del austro, en el palacio del Salomon terreno: buelue luego los ojos de la fee á este diuinissimo Sacramento, y repara, que el mismo Señor, real y verdaderamente, que alli ocupa aquel magestuoso trono de su infinita grandeza: aqui se cifra en esta hostia con amorosa llaneza, alli inmenso, aqui abreuiado, alli conciliandole reuerencia su mageſtad, aqui ſolicitandole finezas ſu amor. * Conſidera ſi huuieras de llegar por medio de los coros angelicos, rõpiendo por las aladas gerarquias, haziendote calle à vn lado, y otro los Cherubines, y Serafines, con que temor procedieras, con que encogimiento llegaras? Pues aduierte, que al miſmo Dios, y Señor vâs a recibir oy por medio de las inuiſibles gerarquias. Repara, con que preparacion vienes, con que alas de virtudes te acercas, y ſea emula tu preparacion, de los Cherubines en el conocer, y de los Serafines en el amar.

P. 2. Eſtauan los abraſados eſpipiritus tan cercanos a la infinita grandeza, que la assistiã en el mismo trono, aunque alcando siempre por acercarse mas, que quiẽ mas conoce à Dios, mas le desea: abrasandose están en el diuino amor, y por esso los mas allegados, que el amor no solo permite, pero vne. mucho aman, y mucho mas desean. * Pondera aqui ò alma mia tu tibieza, carea con aquel fuego tu frialdad: y di, como te atreues llegar á vn Dios, q̃ es fuego consumidor tan poco feruorosa? Aleen tus potencias, el entendimiento por conocerle, tu voluntad por amarle, y despues de mucho, mas, y mas; que lo que no consiguen los espiritus alados con su grandeza, cōsigues tu con vileza; pues no solo se te permite assistir al Señor batiendo las alas, sino tocandole cō los labios, paladeandole en tu boca, hasta meterle dentro de tu pecho. Si a los Serafines se les concede assistir en el trono de Dios, à ti que el mismo Dios assista dētro de tus entrañas, poco te queda que inuidiarles, el conocimiē to, no la dicha, la estimaciō, que no el fauor.

Pun. 3. Velauan sus rostros los amantes espiritus, corridos de no amar a su Dios, y Señor tanto como deuian, tanto como quisieran, de que no llegasse su possi bilidad, donde su afecto; hazian re-

reboço cō las alas à su empacho, si ya no era velo a su reuerencia: assistē auergōçados de su cortedad, quando confundidos de tan inmediata assistencia: cubrē tambien los pies acusandolos de tardos, en cotexo de sus alas, y en ellos sus detenidos afectos. * O alma pereçosa pondera, que si los Serafines se recatan indignos de parecer ante la inmensa grandeza de Dios, y la rezelan cara à cara; tu tā llena de imperfecciones, ya que no de culpas, tan elada en su diuino amor, tan tibia en su diuino seruicio: como no te cōfundes oy de llegar a recibirle, siruiendole de trono tu coraçō? Los Serafines acusan sus pies he-

chos à pisar estrellas; y tu con
pies llenos del cieno del mundo,
cubiertos del poluo de tu nada,
como osas acercarte, auerguen-
çate de tu vileza, y sola la benignidad de este Señor Sacramentado, baste a alentar tu indignidad,
suple con humiliaciones, lo que
te falta de posibilidades, para po
der lograr tan grandes fauores.

P. 4. Reconociendo los Serafines su dicha, no cessauã de alabar
la diuina grandeza: noche, y dia
repartiã el santo, santo, que es el
blason diuino; á coros le entona
uan, prouocandose vnos à otros
á los aplausos eternos: librauan
en proseguidos canticos, deui-
dos agradecimiẽtos, y eterniza-
uan

uan en continuas vozes los fauores del Señor.* Aprehende, ò
alma mia, de tan grandes Maes-
tros del amar, el saber agradecer, sean emulos de sus incẽdios
tus feruores, corresponda a su
assistẽcia tu atenciõ, y si tu inca-
pacidad te detuuiere, tu dicha te
adelante, compitan à finezas de
amor, estremos de humildad; à la
alteza de tu buelo, el retiro de tu
baxeza, recambiando en gracias
los fauores, y las misericordias
infinitas, en alabanças eternas, por todos los siglos
de los siglos,
Amen.

ME-

MEDITACION XVI.

Para comulgar, como en combite descubierto.

PVnto primero. Considera el que está combidado a la mesa de vn gran Principe, como se preuiene de modo que pueda lograr la ocasion; no se sacia primeto de viles, y groseros manjares, el que los espera exquisitos, y preciosos: conseruase ayuno dãdo filos al apetito, y haze algun exercicio para hazer ganas; llega con saliua virgen guardando el hambre, y aun llamãdola para su sazon, come a deseo, y entrale en pro-

prouecho. * O tu que estàs oy cōbidado al mayor bāquete, del mayor Monarca, pondera, como aqui todo dexa dè ser grande, y passa a infinito, el Señor que combida, y el combite, solo el combidado es vn gusano, y para ti se prepara toda la infinidad de Dios en comida, toda la grandeza del cielo, en regalo, que si el pan es de los Angeles, la vianda es el mismo Señor. Llega con el interior vacio de todo, a recibir vn Dios que todo lo llena, no te sientes ahito de las cebollas del mūdo, a comer el pan del cielo, que en vez de darte vida, te causarà la muerte, vèn ageno de toda culpa al combite, que tiene por renombre buena gracia No comas este manjar con frialdad, que es sobresustancial, y no te entraria en prouecho, sazonado si al fuego de vna feruorosa oracion; y aduierte, que la deuocion es el açucar deste sabroso majar blanco.

P.2. Acostumbrase enlos combites, ir descubriendo los platos para que los combidados vayan eligiendo conforme a su gusto, y comiẽdo al sabor de su paladar; pero quando es vn sumptuoso banquete, en que se siruen muchas, y exquisitas viandas, dasele à cada vno de los combidados vna memoria de todos, para que sepan lo q̃ han de comer, y guarden

den el apetito para el plato, que llaman suyo, del que gustan mas, para que vayan repartiendo las ganas, y se logre todo con sazon.
*O tu, que te sientas oy al infinito regalado banquete, que celebra el poder del Padre, que traza la sabiduria del Hijo, que sazona el fuego del Espiritu Sãto: aduierte que estàn cubiertos los preciosos manjares, entre accidentes de pan: llegue tu fee, y vayalos descubriendo, y tu registrando, para que sabiendo lo que has de comer, lo sepas mejor lograr. Vn memorial se te darà de las milagrosas viandas: *Memoriã fecit mirabilium suorũ*: leelo con atenciõ, y hallarás que dize; aqui
se

se sirue vn cordero de leche virginal, sazonado al fuego de su amor: O que regalado plato! Aqui vn coraçõ enamorado de las almas: O que comida tan gustosa! vna lengua, que aunque de si mana leche, y miel; pero fue aceda con hiel, y con vinagre: mira q̃ la comas de buen gusto, pues vnas manos, y vnos pies traspassados con los clauos, no son de dexar; vè desta suerte ponderando lo que comes, y repartiendo la deuocion.

P. 3. De gustos, ni ay admiracion, ni disputa; vnos apetecen vn plato, y otros otro, qual apetece lo dulce de la niñez de Iesus, y qual lo amargo de su passion,

sion, este busca lo picante de sus
desprecios, aquel lo salado de sus
fineças, cada vno segun su espiritu, y aquello le parece lo mejor;
y de la manera que los que comẽ
el manjar material, se vàn dete-
niendo en aquello que vã gustã-
do, no vamos aprisa dizẽ, rumie
mos a espacio, masquemos biẽ,
y nos entrarà en prouecho: assi
acontece en este banquete sacra
mental, vnos se vàn con el amado dicipulo al pecho de si Maestro, y como aguilas se ceban en
el amoroso coraçon: otros con
la Madalena buscan los pies, dõ
de hallã el pasto de su humildad:
qual con el dulcissimo Bernardo
al costado abierto, y qual cõ santa

ta Catalina, a la cabeça espinada, ni falta quien le hurta á Iudas el carrillo indignamente empleado, y que no le entrò en prouecho, porque llegò ahito de maldad. * Llega tu al banquete, ó alma mia, y cebate en lo que mas gustares, aunque todo es bueno, y todo bien sazonado, assi tu le comiesses con biẽ dispuesto paladar: come como Angel, el pan de los Angeles; come como persona cõsiderãdo, y no como bruto, no agradeciendo: mira q̃ dõde està el cuerpo del Señor, alli se congregan las aguilas reales.

Pan 4. Quedan sobre mesa los gustosos combidados, conuersando con el Señor del combite, y cey celebrandole los manjares, que no es la menor paga el agradecimiento, este alaba vn plato, y aquel otro, cada vno segun el gusto que percibió: ponderã la abũdancia, alaban la sazon, admiran el regalo, agradeciendo este, y obligando al señor del combite para otro.* Alma, mucho tienes tu aqui q̃ celebrar, alaba à Dios, pues comiste á Dios, rindele eternas gracias por vn manjar infinito; quedate en oracion, que esto es quedar conuersando con el Señor del combite sobre mesa: muestra el buen gusto que tuuiste en comerle, en el saber celebrarle. Saca llegar cada vez a esta mesa con vna destas consideraraciones: oyme como el sabroso coraçon del corderito de Dios, otro dia sus pies, y manos llagadas; que aunque lo comes todo, pero oy con especial apetito aquella cabeça espinada, y mañana aquel costado abierto, aquella lẽgua aeleada, que cada plato destos merece todo vn dia, y aun toda vna eternidad.

MEDITACION XVII.

Para recibir al Señor, con el deseo y gozo del santo viejo Simeon.

PVnto primero. Representate como si vieras aquel agradable espectaculo del templo: mira con cõn q̃ gracia entra en èl la fenix de la pureza, y trae dos palomillas sin hiel; sale a recibirla vn cisne, que a par de las corrientes de sus dos ojos, canta dulcemente su muerte; ni falta vna viuda tortolilla, que ya no gime su soledad, sino que profetiza su cõsuelo: todas estas aues vnas cantan, otras arrullan al salir el alado sol diuino, que trae la salud en sus plumas, llenando de luz, y de alegria todo el vniuerso. Considera como se preparó el santo Simeon para recibir al Señor en sus braços este dia; no se dize q̃ era anciano, sino justo, y temeroso del Señor, que en su santo seruicio, no se cuenta por años, sino por meritos: con razon temeroso, que quien ha de recibirle, ha de temerle: no tiemblan sus braços tanto de vejez, quanto de recato, regidos de su delicada conciencia. O gran disposicion! hospedar antes en su alma al diuino espiritu, para recibir despues en sus braços el encarnado Verbo: oyò las respuestas de la vna persona diuina, para lograr los fauores de la otra. * Pondera tu alma, que has de recibir oy al mismo Niño Dios, no fajado entre pañales, cubierto si de accidentes, como te has de preparar toda la vida: si el santo Simeon, para llegarsele quando mucho à su regaço, assi se exercita en virtudes

des tantos años; como tu, ni aun horas para meterle dentro de tu pecho: èl para solo vn dia se prepara tantos, y tu para recibirle tantos no te preparas vn dia?

P. 2. Iba marchitãdose su vida y reuerdeciẽdo su esperança, cũplióle el cielo su palabra, mejor que el mundo las suyas: llegò al templo al punto que rayaua la aurora, y abriendo los ojos cansados de llorar, reconociò el sol diuino, entre los arreboles de su humanidad; no se contẽtaria cõ mirarle vna vez, quiẽ le auia deseado tãtas: miraua aquella tierna humanidad, y admiraua la diuinidad; veía vn niño chiquito; i adoraua vn Dios infinito, vencta ua en vn infante de pocos dias, el Principe de las eternidades.* Conoce alma, que al mismo niño Dios vàs tu a buscar oy al tẽplo, mira si te guia el diuino espiritu, ó si te lleua la costumbre; abre bien los ojos de la fee, y verás vn encuentro de marauillas, en vna pequeña ostia vn Dios inmenso, cubierta de accidentes vna sustancia infinita, recibiràs en vn boca lo todo el cielo, y hecho pan cotidiano el Dios eterno.

P. 3. No se contenta ya cõ verle el santo viejo, và adelantando con el fauor la licencia, trueca el temor en finezas, alea el blanco cisne con santa candidez por acer-

acercasele mas, contentauase antes con verle, ya passa a abraçarle, pide à la Virgen se le permita vn rato, quien desea toda vna eternidad, concedesele liberal, la que ruega con Dios a todos. Tomòle entre los braços, q̃ fue abarcar todo el cielo; con q̃ no se celebre ya el enigma de ver dos varas de cielo; si el ver oy todo el cielo en dos varas, *accepit eũ in vlnas suas*. Trãsformòse al punto de cisne en Serafin, alternando lagrimas con incendios; que abraços le daria; que ternuras le diria, y pareciendole no tenia mas que ver, trata de cerrar los ojos, no teniẽdo mas que desear, pide licẽcia de morir, pues el dexarlo de sus braços, ha de ser dexar la vida. * Alma reconoce aqui tu dicha, y sabela lograr, el mismo Christo del Señor tienes contigo, no solo entre tus braços, sino dentro de tus entrañas, no apretado al seno, sino dē-tro de tu pecho, no solo se te permite adorarle, y besarle como â Simeon, sino comerle, y tragarle y sustentarte con èl, esta es tu dicha, qual deue ser tu consuelo; este es el fauor de tu Dios, veamos qual es tu amor? Que puedes ya desear en esta vida, auiendo llegado a comulgar, pide el morir al mundo, y viuir a Dios, no a la carne, sino al espiritu, y sea de oy mas tu conuersacion en el cielo.

P. 4.

P. 4. Viose el santo Simeõ mui obligado con el fauor diuino, pero con poca vida para el agradecimiento, y faltandole las fuerças para rendir las deuidas gracias, escoge rendir la vida. No pudo contenerse, que no pregonasse las diuinas misericordias, y cantòlas dulcemente como diuino cisne, despidiendose de todo lo que no es cielo, de todo lo que no es Dios: y no quedandose con el contento à solas, propone le a todos los pueblos, comunicale a todas las gentes, por lumbre de los ojos todos, y gloria del pueblo de Israel. Imitale tu, que oy has comulgado en lo agradecido, ya que le excedes, en lo

dí-

dichoso, que el solo llegò á tener
vna vez al niño Dios en sus braços, y tu tantas vezes en tu pecho, no estimas, sino agradeces,
no sientes sino exclamas, prorrū-
piendo en nueuos canticos, emu
lo deste dulcissimo cantor, que
al cerrar sus ojos a todos los bienes terrenos, abre sus labios á
las diuinas glorias, cierra el coraçon al mundo, y abrele de par
en par á solo Dios. confessando-
le con todo èl en el concilio
de los justos, en la con-
gregacion de los
buenos.
(†)

ME-

MEDITACION XVIII.

Para recibir al Señor en las tres ſalas del alma.

Pun. 1. Reconoce la mageſtuoſa grandeza del inmenſo hueſped que oy eſperas, y ſabrás como le has de recibir, y de que ſuerte le deues cortejar, ſea en emulacion de aquellas tres ricas ſalas del otro celebrado Monarca, que dizen; ſe vàn excediendo, al paſſo q̃ en el numero, en la precioſidad, ſiendo la primera de acendrada plata, la ſegunda de refulgente oro, y la tercera de brillātes piedras precioſas, mas con ſer tan re-

releuantes los quilates de ſu materia, los dexan muy atras los pri
mores de ſu artificio: y porque
ſe cõpitan el ſaber con el poder,
ſegũ la calidad de los hueſpedes,
aſsi ſon recibidos en diferentes
ſalas: los nobles en la de plata, los
grandes en la de oro, y los Principes en la de piedras precioſas. * Pondera tu aora, alma mia
en qual deſtas ſalas has de recibir
vn Señor, para quiẽ ſon poco las
alas de los Cherubines, corto el
trono de los Serafines, y eſtrecho
el cielo de los cielos? Por ventura en vn entendimiẽto iluſtrado,
en vna volũtad inflamada, en vna
memoria agradecida? Poco es eſ
to, en vn pecho feruoroſo, en v-
nas

nas entrañas enternecidas, en vn coraçõ enamorado? Todo es nada; en vn grado de perfecciõ mucho mayor que el otro, subiendo de virtud en virtud? todo no basta: pues que harás? Reuistete, como dize el Apostol, del mismo Señor, transformate en èl, y sea la vna comunion, aparejo para la otra.

P. 2. Comulgan algunos fieles recibiẽdo al Señor en la primera sala, en la de plata, pero no passan de alli, contentanse con estar en gracia no aspirã à mayor perfecciõ: mucho es de estimar esta limpieza de conciencia, esta pureza de alma, que vn coraçõ cõtrito, y martillado a golpes de penitẽcia,

cia,

cia, nunca fue despreciable al Señor. * Procura tu, ó alma mia, en primer lugar esta blancura de la gracia; esta pureza de la justificacion, laba las manchas de las culpas cõ el agua fuerte de las lagrimas; no quede borron alguno, q̃ pueda ofender los ojos purissimos de vn Huesped, q̃ tiene por renõbre el Santo. Pero tu alma, no te contentes cõ esta anchura, mas de conciencia, que de espiritu, mas cortejo es menester, assi de deuociõ, como de perfecciõ.

P. 3. Mas atentas, y mas puras otras almas se disponen, para recibir este gran Rey Sacramentado en la sala de oro, de vna encẽdida caridad: sea fragua el cora-

çon

çon para vn Dios que viene a pegar fuego: y pues lo es consumidor, consuma imperfecciones, y abrase coraçones. Estè el alma q̃ comulga hecha vn cielo, y en cõpetencia del mismo infierno, diga, mas, y mas arder, mas, y mas amar. Sea fuerte, como la muerte, la dileccion, y la emulaciõ del amor dura como el infierno, mas y mas gozar, mas, y mas arder. * Pondera si has recibido hasta oy este inmenso Huesped en esta sala de oro del amor perfeto; derrita se ya lo elado de tu coraçõ á vista deste amoroso fuego, cõviertanse en ascuas de oro tus tibiezas: inflamese la volũtad, arda el afecto, y resplandezca vna intensa ſa aficion á Ieſus ſacramentado.

P.4. Aũ no baſta eſto, mas adelante ha de llegar vn alma a hoſpedar el Señor en la ſala de las piedras precioſas, y ſi es poſsible de eſtrellas, eſmaltando el oro de la caridad cõ todas las demas virtudes. Recibẽ al Señor algunas almas entre reſplãdecientes diamãtes de fortaleza, cõ propoſito eficaz de antes morir, q̃ cometer la menor imperfecciõ aduertidamente: entre eſmeraldas de eſperãça, y de paciẽcia, no ſolo ſufriendo las aduerſidades cõ reſignaciõ, pero con gozo, y cõſuelo: entre topacios de mortificacion en todas las coſas, y en todo tiempo: entre perlas netas de an-

angelica pureza: entre resplandecientes carbunclos de la mayor gloria de Dios: entre encendidos rubies de hazer siempre lo mas perfeto: entre luzientes piropos hechos llama a fuer de Serafines, nunca cessando de aspirar à mas amor, á mas conocimiẽto. *O si tu le recibiesses, alma mia, en esta sala, y cō esta perfeccion, colmada de virtudes, rebutida de finezas, toda endiosada, y transformada en el Señor. Amen.

MEDITACION XIX.

Del cōbite de los cinco panes, aplicado à la sagrada comunion.

PVnto primero. Meditaràs como siguen al Señor, no solo

los hombres robuſtos, ſino las mugeres delicadas, y los niños tiernos, que de todos es el ſeruir a Dios, y el reinar con èl: guſtan tanto de oir ſu celeſtial doctrina, que no ſe acuerdã de la material comida; precedẽ tres dias de ayuno, para que logren con mas guſto el milagroſo manjar; ſea el hambre ſu ſazon, entre en eſtomagos puros, deſembaraçados de las terrenas viandas: en vn deſierto les para la meſa el Señor, que no en el bullicio de las plaças. * Aduierte alma, que ſi toda eſta preparacion fue meneſter para aquel milagroſo pã, qual ſerà baſtante para auer de llegar a comer el pan que baxó del

del cielo? el pan sobresustancial, preceda la abstinencia de los viles mundanos manjares, para llegar con el paladar virgen, con el estomago desembaraçado: abra el apetito el exercicio de las virtudes, la fatiga de la mortificacion, aya mucho retiro de los hombres para gustar del pan de los Angeles, trate con Dios quie ha de comer á Dios: toda esta preparacion deues traer para lograr el diuino pan, con gozo de tu espiritu, con prouecho de tu alma.

P 2. Cuida el Señor de los que de si descuidan, prueba su fee, y corona su confiança; despues de auerles dado en primer lugar el sustẽto del alma en doctrina, acu de al del cuerpo en comida, y el que assi prouee los mas viles hu-sanillos de la tierra, no oluidarà los hijos de sus entrañas: consulta con los Apostoles ministros de la mesa, dispensadores de su gracia. Allóse vn niño que traìa cinco panes, y dos pescados, niño auia de ser, porque es tan nouicia la tentacion de la gula, quã veterana la de la vanidad; seria preuencion de algun dicipulo para el celestial Maestro, que no admite otro regalo, sino vn pan de cebada, el que con tanta largueza prouee á todas sus criaturas. * Pondera, ó alma, que no te cuesta à ti tãto como a estos el manà ce-

celestial, no el salir álos desiertos no el cansarte, y sudar, que en todas partes le tienes ; mas si este pan se huviera de comprar, diganos san Felipe lo que costaria, pero no se compra à precio de ducados, sino de afectos, y deseos, de valde se dà, conoce, y estima tu dicha, pues te regala el Señor, no con solo pan, sino con su mismo cuerpo, y sangre, que son las delicias de los Reyes.

P. 3. Estaua el Señor en medio aquellas campañas coronado de la infinita multitud de gẽtes, hecho centro de su confiança, y blãco su de mira. Manda á sus Apostoles les hagan sentar, para que coman con concierto, y con soſiego, y que ſea ſobre el heno, no tanto para la comodidad, quanto para el deſengaño de la fragilidad humana: toma vn pan en ſus manos, y fixa los ojos en el cielo enſeñandonos a reconocer todo nueſtro bien de allà: echale ſu bendicion, partele, y vaſe multiplicando en millares, parecian ſus dos manos dos perenes manantiales de pan, que no ſe dauan manos los Apoſtoles à repartir tantos, como de ellas ſalian. El pan era milagroſo, ſeria ſazonado, los combidados hambrientos, con que guſto le comerian, tan admirados del prodigio, quan guſtoſos del regalo. ✱ Imaginate oy combidado del miſ-

miſmo Señor, en medio las cam
pañas de la Igleſia, y que entre la
infinita muchedumbre de los fieles, llegas a participar del milagroſo pan; pondera quanto mas
delicioſo, y mas ſabroſo es el q̃
tu comes, que ſi aquel lo fue por
ſalir de las manos de Chriſto, en
eſte eſtán contenidas ſus milagro
ſas manos: comian ellos el pã del
Señor, tu te comes al Señor del
pan, comian el pan de aquellas
manos, y tu te comes las manos
de aquel pan, comele con gana
pues ſe te dà con fineça, recibele con frequencia, pues ſe co-
munica con abundancia; y ſi vn
bocado de aquel pã milagroſo ſolo
comieras cõ indecible guſto, lo-

gra este tanto mas sabroso, quāto sabe todo a Dios.

Pun. 4. Quedaron tan agradecidos los bien satisfechos combidados, q̄ trataron de leuantar à Christo por su Rey, que á obras tan de Principe, correspondan agradecimiētos muy vassallos: experimentaronle ya medico, aora le reconocen padre, con la casa llena de pan; parecioles que era nacido para su Principe, y no se engañan, que no se hallará otro, ni de mas largas manos, ni de coraçon mas grande. * Alma, que agradecimiento muestras tu à vn Señor, que assi te ha proueido de comida, no para vn dia solo, sino para toda tu vida? que de ve

zes

zes le has experimentado medico? que de vezes le has hallado padre? jurale oy por tu Rey, y tu Señor, ofrecele eterno vassallage, renuncia las tiranias de Satanás, muera el pecado, y viua la gracia, rindiendolas a la infinita Mageſtad, por todos los ſiglos, Amen.

MEDITACION XX.

Del panal de Sanſon, aplicado al Sacramento.

PVnto 1. Atiende como precedio el deſquixarar primero vn Leon, para hallar en ſu boca deſpues el ſabroſo panal, que es meneſter vencer las dificultades an-

antes, para lograr despues el fruto de las vitorias; conuirtiose lo aspero de la mortificacion en lo suaue del premio, que assi acontece cada dia en el exercicio de las virtudes, truecase la paciencia en sossiego, el llanto en risa; la afliccion en consuelo, el ayuno en salud de cuerpo, y alma, y todas las demas virtudes, que parecian leones, llegadas a gustarse, fueron sabrosos panales. Pero q bien se dispuso Sanson para conseguir el premio, q animoso para la pelea; que callado en la hazaña que liberal del bien hallado, merece con razon lograr dulçuras.* Entiende alma, que si has de gozar oy de aquel diuino panal, tanto mas sabroso, quanto mas prodigioso, pan de los Angeles, y panal que las abejas del cielo han sazonado, guardado en la cera virgen, escogido entre millares, entresacado de las flores de las virtudes, que deues primero disponerte para pelear, no menos que con leones; que has de desquixarar el vicio rey, el que en ti preualece, el que tantas vezes te ha vltrajado.

P. 2. Salteale la coronada fiera en el camino, donde suelen temer los cobardes, y boluer a tras en lo començado; pero animoso el Nazareo como tã mortificado, acostũbrado ya a vencer dificultades, apechuga cõ èl, que in-

por-

porta mucho la valiente resolu-
ciõ de coger por las gargantas el
leõ, y por las gañas el pez, desqui
xarale en castigo de su intento, q̃
tirava á tragarle. * Advierte, ó
tu, que tratas de seguir el camino de la virtud, de frequentar la
sagrada comunion, que se te han
de ofrecer espantosas dificultades; intentará tragarte el leon infernal por la culpa, antes que llegues tu a comer aquel panal lleno de la dulce miel de la diuinidad; y ya que no te pueda impe-
dir tu buen intento, te procurará
distraer para quitarte la dulçura
de la deuocion, para resfriar el
feruoroso apetito. Seràs mas tẽ-
tado el dia de la comunion; pro-
cu-

cura no ser vencido, y con valien te resolucion trata de atropellar todas las dificultades.

P. 3. Repite Sanson aquel camino, y va en busca del leon para renouar el gozo de su vitoria; solicitaua lo fuerte, y hallólo dulce: creyò topar con vn leon, y encontrò con vn panal de miel: aqui gozoso, depuesto lo admirado, no lo estraña cõ horror, ni haze desprecio con reparo, antes bien, sacandolo de las mismas gargãtas de la fiera, lo traslada a su paladar, percibiò luego la dulçura, y començò a saborearse con èl, gozando del fruto de su trabajo, cõbidó á su madre, y à los q̃ le acõpañauan, no tanto por hazer ala r de-

de de su valor, quanto por comu nicar el bien hallado. * Llega oy alma mia al brauo leon de la difi cultad vencida en la virtud, de la tentacion desquixarada; y si mas misteriosamente lo cōsiderares, acercate al muerto leon de Iudá y sacale el panal dulcissimo sacra mētado de su boca aceleada, de su pecho rasgado, gusta quan suaue es el Señor, comele cō deuociō, y percibiràs su dulçura, saborea te cō èl, gozaràs de la leche, y de la miel que manan baxo la len gua del diuino esposo.

P. 4. Quedò tan vfano el valiē te Nazareo de su dicha, tan gus toso del prodigioso panal, que hi zo blason de su dulçura, y para mas

mas celebrarle, le propuso en misterioso enigma: Ofreciò premios á los entẽdidos, como a comida de entendimiento.* Sea ya tu timbre, y tu blason, o alma dichosa, este panal sacramentado, celebrale por tu mayor gloria, dà gracias al Señor en alabãças, sea tu agradecimiento señal de q̃ te quedas saboreando en èl, y conozcase quan meliflua queda tu lengua en lo suaue de sus canticos, cante las glorias del Señor boca que fue tan endulçada con su cuerpo, y con su sangre, suban al cielo los aplausos de vn pan que baxò de allà.

MEDITACION XXI.

Del combite de Simon leproso, y penitencia de la Madalena, aplicado à la sagrada comunion.

PVnto primero. Contẽpla quã à lo galante oy el Señor aceta el combite de vn leproso, por sanar vna vizarra pecadora, no và atraido de los sabrosos manjares, sediento si de sus amargas lagrimas; èl es el combidado, y Madalena su combidada: luego que conoció al Señor, se conoció à si misma, su grandeza, y su baxeza, su amor, y su frialdad, careò la bondad diuina, con su in-

ingratitud humana, y ella que gustaua de ser querida, en conociendo el infinito amor, se lè rinde: informóse dōde estaua aquel diuino iman de sus hierros, no repara en el que dirā los hombres, solo no diga Dios, despojase de sus profanas galas, para vestirse de la librea del cielo, que es la estola inmortal: desta suerte herida del amor, y llagada de dolor, buela en busca de su amante amado, y abate sus altaneras plumas a las diuinas plantas.* Pondera quan bien se supo disponer esta dicipula nouicia, que preparacion tan propia para combidarse, no à las delicias del banquete, sino à los suspiros de su co raçon. Considerate alma cubierta de culpas, despojada de la gracia; aprende como te has de disponer, para entrarte por el combite, no ya del leproso Simon, sino del agradable Jesus sacramentado. Saca vna resolucion gallarda, renunciãdo al mundo, y á sus pompas, y en trage de penitencia, llega à echarte á los pies de aquel Señor que tan misericordioso te espera en el combite.

P. 2. Comiendo estaua Christo quando llego hambrienta dèl la pecadora, llegò la sedienta cierua, fatigada del venero de sus culpas, a brindar al Señor con sus lagrimas; entrase sin llamar, pero llamada à impulsos de la gracia, y auny aunque qualquiera ocasion es buena para acercarse à Dios, pareciole mas comoda la de vn cõbite; para conseguir entre sazones mercedes. No se atreue a llegar cara a cara, que siente muy ofendida la diuina, y la suya tan corrida, quan culpada; llega pues por las espaldas, que auian arado sus culpas, y cae herida del amor la bella altanera garça à los pies del caçador diuino. * Alma pues à ti te sobran culpas, no te falten arrepentimientos; sigue á la Madalena en el llanto, pues la excediste en la ofensa, entremetete en el combite del altar, harto mas abundante, y regalado q̃ el del Fariseo, dõde no seràs zae rida, sino bien admitida, no barrerás el suelo, sino que pisaràs el cielo; pide á la Madalena te dexe vno de los pies de Christo para regarle, mientras ella baña el otro con su llanto, apreende de la dicipula del Señor liciones de penitencia, acompañala aora en el dolor, para que despues en el cõsuelo te ayude.

P. 3. Llora vn mar de lagrimas la Madalena, para poder salir del abismo de sus culpas, regãdo los pies de Christo, con sus amargas lagrimas laba su alma dela inmũdicia de sus deleites, enjugalos con sus cabellos, trocando en lazos de Dios, los que auian enredado las almas: no cessa de besar los,

los, haziendo pazes otras tantas vezes, como los auia ofendido; toda se emplea ya en su amado, la que toda se le auia negado, toda està puesta en èl con sus potẽcias, y sentidos. quanto mas con el coraçon; bañale los pies con las dos fuentes de sus ojos, y chupalos con sus dos labios; con sus blancas manos los aprieta, y con sus rubios cabellos los enjuga, porq̃ toda se cõsagre à Dios, la q toda se auia profanado. * Pōderà, ó tu, que has comulgado, tu mayor dicha cõ menos merecimiento, que si la Madalena llega â lograr los pies de Christo, tu á gozarle todo entero; si ella á besarle, tu a comerle, no solo le aprietas los pies con tus manos, sino entrañas con entrañas: ella le ofrece sus lagrimas, el Señor te brinda con su sangre: ella le enjuga con sus cabellos, tu con las telas de tu coraçon, si ella le tiene asido, tu encerrado: emplea pues toda tu alma, y tus potencias en seruirle, y adorarle el dia que le recibes.

P. 4. Censuraua el Fariseo lo q la Madalena hazia, y no lo q̃ auia hecho; que es el mundo fiscal de la virtud, y abogado del vicio. Cõ otros ojos la mira el Señor, bien diferentes de los hombres: comiença à relatar los seruicios de la Madalena, haziendolos cargos de las omissiones de Simon.

Tu,

Tu,dize,no te dignaste de besar mi rostro,y esta no ha cessado en todo este rato de adorar mis plã tas;no me diste agua manos, y es ta de ojos me lá há seruido; no gastaste vna gota de azeite en mi cabeça,y esta ha derramado en mis pies el mas precioso balsa mo;no desplegaste vna toalla,cõ que me enjugasse las manos, y esta me ha enjugado los pies con la preciosa madeja de sus rubios cabellos. * Oye alma,que te di ze á ti otro tanto el mismo Se ñor,oy que le has hospedado,no solo en tu casa,sino en tu pecho. Alma,no me diste vn beso de paz quando tantos de guerra cõ tus pecados, no derramaste vna la-

grima de ternura, quando te eſ-
toy bañando en mi ſangre, que
poca fragancia deſpides de virtudes, y que fria, que corta, y que
groſera has andado. Recambia
tus cortedades en agradecimiētos, y pues ganas a la Madalena
en el fauor, procura igualarla en
el amor. Oye lo que te dize Chriſto, vè en paz, pues en mi gracia,
eſtimandola como antes perdida, y reſpondele tu: mi Dios, y
mi Señor, antes perder mil
vidas, que boluer à
ofenderos.
(†)

ME-

MEDITACION XXII.

De la oueja perdida, y hallada, regalada con el pan del cielo.

PVnto primero Contẽpla como la simple ouejuela, engañada de su antojo, y lleuada de su gusto, se aparta del rebaño, se alexa de su pastor, perdida quando mas entretenida, apacentando sus apetitos en los verdes prados de sus deleites, no aya prado, dize, que no lo passe, y lo repasse mi gusto; ò como trueca las seguridades de la gracia, en los euidentes riesgos de la culpa, yoluidando los cariños de vn buen

buen paſtor que la defiende, ſe expone á las gargantas de vn lobo, que la trague. * Pondera, ó alma mia, quantas vezes has hecho tu otro tanto, en ti ſe verifica la parabola, y el lobo infernal eſtà en ella: tu eres la ouejuela tã ſimple, como errada, dexaſte los amenos prados de la gracia, y habitas las ſombras de la muerte; dexaſte tu buen paſtor, que te cõpró con ſu vida, que te ſeñaló cõ ſu ſangre, y ſigues vn leon cruel, que te rodea para tragarte: acaba ya de conocer tu yerro, y reconocer tu peligro, bala para q̃ te oiga tu paſtor, llamale con balidos de ſuſpiros, a golpes de tu pecho, y al murmullo de tu llãto

P.2.

P 2. Luego q̃ hecha menos el cuidadoso mayoral su descuidada ouejuela, truecа el descanso de su cabaña en afanes de buscar la: he aqui que viene saltãdo por los montes, y passando los collados, y ella se està en los valles de su culpa; que de penas le cuestan los gustos della, que de amarguras sus dulçuras, que de hieles sus panales; el anda entre espinas, ella entre flores; èl sin comer y ella repastandose; rasganle las çarças el pellico, y llegan à ensangrentarle, vá pereciendo de sed quando mas sudando: no para hasta subir à vn monte para mejor atalayarla. Despojase del pellico, y desnudo trepa vn arbol

bol arriba, donde puesto en lo mas alto, alarga sus dos braços a dos ramas, de ellas pende, y con gran pena se sustenta, comiença à llamarla con valientes clamores, y aun con lagrimas, el cielo le oye por su reuerencia, y la oue juela se haze sorda en su obstinacion: mas ay que ya inclina la cabeça viẽdo que no puede hablar, para hazerle señas, que primero dexarà de viuir, que de llamarla, y no contẽto con esto dexase abrir el pecho, y muestrala sus amorosas entrañas. * Alma, oueja perdida, hasta quando ha de durar la dureza de tu coraçon? reconoce tu diuino pastor, y estimalo que le cuestas; por ti dexò xó ſu cielo, y baxó al mundo, ſudò ſangre, raſgaronle los açotes las eſpaldas, y las eſpinas las ſienes, cargò, y cayó con la Cruz, ſubiò al Calbario, ſortearonle los veſtidos, deſnudo trepò al arbol de tu remedio, alli eſtendió ſus braços; no le oyes como te ſilua con ſuſpiros, y con lagrimas; mira que inclina ſu cabeça perſeuerando en llamarte; abre ſu coſtado, y te franquea ſus entrañas, acaba ya, y dexa los viles deleites de la villana tierra, y gozaràs de los regalados paſtos del altar, que es el paraiſo de la Igleſia.

P. 3. Hallada la ouejuela, buelue ſu buē paſtor de muerte á vida; con que agrado la recibe entre

tre ſus braços, ſiempre abiertos para ella, no la riñe enojado, antes la acaricia compaſsiuo, y ſacando el ſabroſo pan de ſu ſeno, con ſu mano la combida, y cõ ſu dieſtra la regala: trasladala de ſus braços a ſus ombros, ſi antes agouiados con el peſo de las culpas, aora aliuiados con la dulce carga, conduzela â ſus ſeguros rediles, juntala con las otras nouenta y nueue: que gozoſo và él con ella, y que dichoſa ella cõ èl, balando, y diziendo: mi amado para mi, y yo para èl, toda entera, y con coraçon entero *Conſiderate oy, alma mia, fauorecida del diuino paſtor veſtido del pellico blãco, y regalada de ſu mano no con el pan del cielo, que èl es tu paſtor, y tu paſto: toma el pan de ſu mano, y comete la mano tambien; con ſangre te redimiò, con ſangre te alimenta; èl te lleua en ſus ombros, lleuale tu en tu pecho, èl raſga ſu coſtado, metele tu en tus entrañas; come cõ guſto eſte pan, que baxò del ſeno del padre, repaſtate en èl, conocerás la diferencia que ay deſte manjar de los Angeles, a vna comida de beſtias.

P 4. Balando vá la hallada oueiuela, y dando gracias á ſu buen paſtor, pregona con balidos ſus fauores, o amado paſtór mio, vá diziendo, y lo q̃ os deuo, y quien pudiera pagarlo. Otros paſtores

ſe

ſe comen ſus ouejas, y yo me como á mi paſtor: ellos las traſquilan para veſtirſe, y vos os deſnudais por veſtirme; ellos las deſuellan, y vos quedais todo laſtimado por curarme; ellos las tirã el cayado, y vos me poneis ſobre los ombros; ellos las encojan, y vos me ſanais; ellos las deſpeñã, y vos me lleuais a cueſtas.* Que gracias os darè yo Señor por tã tas miſericordias? correſpondan mis feruores à vueſtros fauores, cantarè eternamente vn cantar nueuo, juntando mis balidos cõ los de aquellos rebaños celeſtiales que os eſtán alabando, y enſalçando por todos los ſiglos de los ſiglos, Amen.

ME-

MEDITACION XXIII.

De la mala preparacion del que fue echado del combite.

PVnto primero. Considera el cuidado de aquellos combidados en preuenirse de gala, para poder parecer ante la real presencia, sabē que es vn Rey el que los combida, y assi no se contentan con qualquier atauio; procuran el mayor de la vida, qual sue le ser el del dia de la boda: muestra estimacion de la persona que se visita, el ornato que se trae, y la composicion exterior es indicio, y aun empeño de la interior:

no qualquier adorno es bastante
para vn dia tan solemne, como
ser cõbidado de vn Rey, requiere
ser precioso, porque los ojos rea
les están hechos á gran riqueza.
Llegan, pues, estos combidados
con galan aliño, para ser admiti-
dos con agassajo hõroso. * Alma
oy estàs combidada del mayor
Rey al mayor combite, segun es
to pondera la obligació de ador
narte; poco es ya el no venir con
desaliño, passe à ser rica gala; no
basta el no venir oliẽdo à culpas,
si arrojando fragancia de virtudes; no basta qualquier atauio, q̃
están hechos los diuinos ojos al
aliño de los Angeles. Saca venir
cõ arco de santidad, para sentarte

te á la mesa real con magestuósa decencia.

P 2. Estando todos dispuestos por su orden, y compuestos por su aliño, se atreuió otro, y muy otro à meterse entre ellos sin el vestido de la boda, tan sin empacho, quan sin adorno, que es el atreuimiento arrojo de la vileza, con la cara deslauada, y las manos sin labar, oliendo a la inmundicia villana; entra en el salon, q̃ remeda vn cielo, con tanta insensibilidad suya, como sentimiẽto de los demas: introduzese el cueruo entre los neuados cisnes, nada le dizen ellos como cãdidos, demas, de que en la agena casa, dexan el reñir a su dueño. Pensó

á lo necio que no le veria el Rey, por estar baxo cortina, ò ya que misericordioso dissimularia como otras vezes, pero engañóse, que agrauios tan cara à cara, ofensas tan cuerpo à cuerpo, no se passan sin castigo, siquiera por el escarmiento. * Pondera tu con temor tan feo desacato, y no ya en otro, sino en ti mismo: imagina en tu garganta el afilado cuchillo, quando te sentares á la mesa deste Principe no llegues reuestido de tus passiones, no te acerques oliendo a culpas, mirate primero al espejo de los otros al cristal de vn fiel examen, pruenate à ti mismo, que eres hombre; no te confies en que está el
Rey

Rey baxo la cortina de los accidentes, que está zelando como esposo, entre los canceles de su dissimulo, tras las zelosias de su reparo.

P. 3. Estauan ya todos muy de assiento, con deseo de cebarse en las regaladas viandas de la mesa Real, quãdo entró el mismo Rey en persona, que no fia a otros q̃ a sus ojos el registro desta mesa. Reconocidos todos los combidados, vno por vno, reparò luego en aquel, que por lo desigual sobresalia; ofendiole lo asqueroso, y mucho mas lo atreuido, pero templando su indignacion cõ su bondad: amigo, le dize, como entraste acà? tu? y acá? y sin el aliño nupcial ? Tratòle de amigo, careandole con el primer traidor que profanò esta mesa. No tuuo que responder el desdichado, tan á la clara conuencido, que se come el juizio, el q̃ sin èl come en esta mesa; q̃ está aqui el juez, y el juizio, no son menester mas prueuas, fulminase al punto la sentencia, de que sea echado fuera, que es la priuacion de su diuino rostro, el mas sensible castigo: echãle por lo mal mirado en las tinieblas exteriores. * O tu que estàs sentado á la mesa del Altar, mira, guarda, no te suceda tal desdicha Oye lo que dize el Rey diuino, que cõtigo habla. Amigo, como te atreuiste a entrar acá ? tu pe-

pecador indigno? tu, y acá en la ſala de la miſma pureza, en el cētro de la ſantidad. Que es del ornato de las virtudes, donde dexaſſe la veſtidura de la gracia? Que dizes? Que reſpondes? tu tā bien enmudeces? O que confuſo ſe hallaria con dos azares, dehōra, y hambre. Saca, pues, vn bien preuenido eſcarmiento, y vn temor reuerencial, procura gran diſpoſicion de gracia, para no caer en ſu mayor deſgracia.

P 4. Que gozoſos quedariā los otros de ſu bien, a viſta del mal ageno. Como leuantarian las manos al cielo, viendo atadas las de aquel deſdichado; rendirian dobladas gracias al Rey, del combite satisfechos, y dichosos: como le alabarian ellos, viendo al otro enmudecer, desplegaron sus labios al aplauso, los que antes al regalo. * Atiende tu à dar gracias al Señor que assi te tiene de su mano; mira que en las de Dios estàn tus suertes, no enmudezcas culpado, alaba á Dios perdonado, si estimas tus dichas, agradece sus misericordias, corona su mesa como renueuo de paz no aya en cenizas del fulminado castigo; canta como bien comido; alaba como satisfecho, a vn Señor que te concediò acabar la fiesta en paz, y te saciò con la flor de la harina.

MEDITACION XXIV.

De la dicha de Mifiboset, sentado à la mesa real, aplicado à la comunion.

PVnto primero. Considera q̃ nouedad le causaria à Mifiboset, verse llamado del Rey Dauid para sentarse á su lado, y comer a su mesa, ocuparia su animo el gozo, y su humildad el espanto. Veíase fauorecido de la gracia real, el que tan desfauorecido de la naturaleza: desposseido de la fortuna, hijo de Principe que passò, desamparado como pobre; y oluidado como des posseido, cojo en el cuerpo, y caido do de animo con tantas imperfecciones, como humillaciones. Cōsideraua, pues, la grādeza del Rey á vista de su baxeza, y diria; yo sentarme á la mesa Real, quando no tengo que llegarme à la boca? Que vn Rey me haga el plato, quando nadie se digna de seruirme? Encogiase viendo lo poco q̃ valia, y animauase viendo lo que el Rey le honraua. Què he de parecer, dezia, sentado entre tanta grandeza, cō tanta imperfecciō, pero al fin su gran bondad suplirà mi indignidad. * Imaginate otro Mifiboset, con mas imperfecciones en el alma, que èl en el cuerpo, cogeando siempre en el diuino seruicio, cōtrahecho por la la culpa, y agouiado àzia la tierra, hijo, y nieto de padres enemigos del Señor, y tu mas pecador que todos; y que con todo esso otro mayor Rey que Dauid, pues Monarca de cielo, y tierra, te cōbida a su mesa, y te haze plato: carea tu vileza, con su grandeza, su infininad, y tu cortedad; saca vna gran confusion, humillādote caido, y animandote fauorecido.

P. 2. Trata de adornarse Mifiboset, para poder parecer ante la presencia Real, suple con los arreos sus defetos; no llega asqueroso por no doblar la ofension, vestido si de gala para dissimular sus imperfecciones. Con que

que encogimiento entraria en el palacio, que humilde se postraria a las Reales plantas, diziēdo, Señor, quando os he merecido yo tan gran fauor? Sobrauame el comer con vuestros criados, pero á vuestra mesa, à vuestro lado, y en vn mismo plato, y de vn mismo manjar, y yo? mirad que no son mis meritos para tan prodigiosas mercedes. Mas el santo Rey tan generoso, quan compassiuo le leuantaria a sus braços, diziendo: si, si, à mi mesa te has de sentar, y con migo has de comer. * Pondere tu, quando oy estàs combidado, no de vn Rey de la terra, sino del Monarca del cielo, a su mesa, y a su plato, con que

que ornato deues llegar, que gala vestir; procurando encubrir las fealdades de tus culpas, con los arreos de la gracia.

P. 3. Sẽtado estaua Mifiboset à la mesa Real, tan encogido, quan honrado, fauorecido del Rey, admirado de los Cortesanos, los Grãdes le assistian, y èl comia, el mismo Rey le hazia plato, que soria de lo mejor; con que gusto lo comeria? como venido de la real mano, que consolado estaria de su nueua dicha, que satisfecho del regalo: aqui se vieron juntos esta vez, la honra, y el prouecho, y compitieron la benignidad de Dauid, con la humildad de Mifiboset. * Pondera tu el que comul-

mulgas, que por grandes finezas
que vse el Rey de Israel con Mifi
boset, nunca llegarán á las que
contigo oy haze el Rey del cielo: alli le daua el Rey preciosos,
y regalados manjares, pero no se
le daua à si mismo; haziale plato
de la viandã real, pero no de su
coraçon; desuerte, que comia cõ
el Rey, pero no se comia al Rey.
Aqui si en esta mesa del altar, co
mes con Dios, y te comes à Dios,
su mismo cuerpo te presenta, y
con èl su diuinidad, quãto tiene
te dá, y à si mismo con todo. Lo
gra con buen gusto tan exquisita
comida, vete poco à poco quãdo comes mucho á mucho, dà lu
gar à la consideraciõ, saboreate
en

en èl, mira que es gran bocado, pues es vn Dios verdadero; aduierte, que los mismos Angeles te assistẽ embidiandote la dicha, si zelando la decencia.

P. 4. Mostrarseía agradecido Misiboset à tanto agrado, trocariase el encogimiento al comer, en el desaogo del agradecer; conociòse la estimaciõ del fauor recibido, en boluer á lograrlo; no se le conocerian las tardanças de cojo, puntualidades si de combidado; no se portó como hijo del mayor perseguidor que tuuo Dauid, sino como el mas fiel, y reconocido vassallo * Saca, que alabanças deues tu dar a vn tã gran Rey, que assi te ha fauorecido, que

que gracias rendir á vn Señor, q̃ assi te ha regalado, no le ofendas mas como enemigo, sirucle como hijo tan obligado. Concluye diziendo: O mi Dios, y mi Señor, mas humano os aueis mostrado que Dauid, en fauorecerme, y todo diuino en perdonarme, y con estar yo mas lleno de imperfecciones en el alma, que Mifiboset en el cuerpo, os aueis dignado de admitirme a vuestra mesa, y ponerme á vuestro lado, aueisme hecho plato de vuestro coraçon, y de vuestras entrañas, dãdoosme todo en comida. Que gracias os darè yo Señor por tã grandes fauores? lo que dezia el santo Rey David, caliz por caliz,

sea

ſea vna comuniõ recompenſa de otra, pagarè el dar, con tomar, q con vos Señor no ay otra retribuciõ; boluerè otra vez a comer y á comeros: baſtaua para mi, y ſobraua ſentarme à la meſa de vueſtros jornaleros, pero para vueſtra infinita bondad no baſtaua; los Angeles os alabẽ por mi, pues yo he comido por ellos, y me he comido ſu pã: dadme vna gracia tras otra, y ſea, que coma yo con vos toda eſta vida temporal, y os goze toda la eterna.

MEDITACION XXV.

De como dio gracias el amado diſcipulo, recoſtado en el pecho de ſu Maeſtro.

Punto primero Contẽpla co-

como el dicipulo de puro coraçon, se alza con el coraçon de su Maestro, mas goza, quien mas ama, y es propio de coraçones virgines el amar mas, porque negandose à las criaturas se entregan enteros à Dios: es Iuan el amado dicipulo del amador de la pureza, disponese con virgen pecho para recibir el candido cordero; compite estremos de finezas cõ purissimos afectos, y despues de averle seguido, por donde quiera que vá, se echa a descansar en su pecho, alli reposa como en su cẽtro, y quedariase diziendo: mi amado para mi, y yo para èl, que se apacienta entre azuçenas; no pretende otro del

va-

valimiento de su Principe, sino gozarle todo interior, y esteriormẽte; él es su principio, y su fin, su Dios, y todas sus cosas, y pone â la Virgen entre ellas. * Pondera alma, con que pureza deues tú prepararte, quando llegás á comulgar, para que reciprocamente descanse el Señor en tu pecho, y tu en su seno: despiertese tu fee, para que duerma en el Señor tu caridad; trata de disponerte con vn coraçon virgen, negado a toda aficion terrena, con vna conciencia pura, limpia de toda culpa, y assi amaràs mas, y gozaràs mas de las diuinas finezas.

Pun. 2. O aguila caudal, y con

quan penetrante vista te exami-
naste á los rayos del sol encarnado, y hiziste presa en su abrasa-
do coraçon, despues de auerte
cebado en el pecho de Christo,
anidas en el; de modo, que hallas
pasto, y tienes nido en su seno;
buelas á descansar en èl, despues
de auer mirado de ito a ito al
sol enamorado, y bebidole sus
luzes entre arreboles de su preciosa sangre; cerraste los ojos en
la quieta contemplacion: ó como despediste toda frialdad de
espiritu, al calor de aquel encendido coraçon; ó como escudriña
uas las tracas de sus finezas, las
inuenciones de su amor; como
tomaste de espacio el gozar de
vn

vn amor que se eterniza, q̃ quando pareció que se acabaua, entonces comiença; y auiendo amado, amó hasta el fin. * Alma, con el mismo pecho te combida oy el mismo Señor, quando se te dà en manjar, llega oy ácomulgar, y àrecostarte en su seno. Logra cõ iguales afectos, iguales fauores; y si Iuã fue el amado, procura tu ser la amante; muestrate aguila en la contemplacion, assi como en la voracidad, atiendele cõ los ojos de la fee, y haz presa con la encendida caridad.

P. 3. En auiẽdose comido Iuan à Christo, se toma licẽcia de recostarse en èl; por dentro, y fuera quiere estar rodeado de su

Maestro; ò gran discipulo del amor, y que bien platica sus liciones, descansa el Hijo de Dios en el seno de su Eterno Padre, y Iuã en el del mismo Hijo de Dios; q̃ tal puesto èscoge para reposar tal comida; sin duda q̃ deste modo le entrarà en prouecho, assi como le entrò en gusto. * Alma, aprende à dormir en Dios, despues de auerte alimentado de Dios: sosiegate en la contemplacion, no te inquieten impertinẽtes desvelos; no luego te abatas al mundo, perseuera en este cielo. Pidele mercedes à vn Señor, q ha vsado cõtigo tales finezas, assistele como aguila en el cõtẽplarle, ya que lo paraciste en el co-

comerle : atiendele durmiendo como Iuan, con los ojos cerrados à las criaturas, y abiertos â solo Dios.

Pun. 4 Quedó tã reconocido Iuan al diuino fauor, que le tomò por blason, hizo dèl glorioso renombre, llamãdose el amado dicipulo que se recostó en el pecho del Señor despues de la cena. Iuan, quiere dezir gracia q̃ los agradecidos son los fauorecidos, no solo no pone en oluido esta gracia, sino que la perpetua en lo agradecido de su nombre, y quiere ser llamado por las gracias que retorna, significando que primero dexarà de ser nõbrado, que grato; consagrala á la eternidad en alabanças, y en afectos, y procura desempeñarse acaudalando amor sobre amor. * O tu que has comulgado, pues seguiste al amado discipulo en los fauores, no le dexes en los agradecimientos; y si este diuinissimo Sacramento fue buena gracia para ti, porque assi se nombra, como obra; correspondã en ti las buenas gracias: Eucharistia se llama pidiendo lo agradecido en blason: saca rendir gracias á gracia, seruores, a fauor, afectos, a fineza, y seruicios á tal merced.

COMVNION XXVI.

Del combite del Rey Assuero.

Punto primero. Considera como

mo aquel gran Monarca, para ha
zer oſtentacion de ſu grandeza,
tomò por arbitrio celebrar vn
ſumptuoſo bãquete: gananſe las
aficiones con las dadiuas, y las a-
miſtades en los cõbites. Combi
dò todos los grandes, y ſeñores
de ſu Reyno, que à vn banquete
grande, grandes han de ſer los
combidados, y ſi real Principes;
vienen todos con ricos, y gala-
nes atauios compitiendo a viza-
rrias el fauor, correſpondiendo
à tal honra tal ornato. * Pondera tu, à quanto mayor banquete
eſtàs oy combidado, quanto mayor es el Monarca que lo celebra, no para hazer oſtentacion
de ſu grandeza, ſino de ſu fineza;
aquel

aquel era vn Rey de la tierra, este de tierra, y cielo, y assi combida á los del cielo, para que assistan ya á los de la tierra, para que coman: alli eran llamados los grandes, aqui son escogidos los pequeños; alli los ricos, aqui los pobres de espiritu; aquellos vestidos de gala, estos de gracia. Conocido, pues, el banquete à que oy eres llamado, el palacio en q̃ entras, la mesa en que te sientas, la magestad del Señor que te cõbida, conocerás el ornato con q̃ has de venir, la reuerencia con q̃ has de llegar, el gusto cõ que has de comer.

P. 2. Iban entrando aquellos Principes, y señores, y sentandose se à la mesa por orden de dignidad, no de anticipacion, no por años, sino por meritos; los mas principales los primeros, y los mas cercanos en sangre al Rey, estauã los mas allegados en puesto. Seruiãle à cada qual el plato que apetecia, siendo su boca medida; por exquisito que fuesse el manjar, se le ponian delante, de modo que aqui lograuan juntos la honra, y el prouecho, y no menor el gusto. * Pondera todas estas excelencias en este sacramẽtal banquete, aqui todos son de la sangre, quando todos la participan; todos estàn tan allegados al Rey, que le tienen dentro de si mismos, y tiene cada vno vn Rey en en el cuerpo,y aun vn Dios. Comen todos a pedir de boca, y mas,pues mas de lo que supieran pedir,de lo que pudieran apetecer,en cada bocado vn Dios, y en cada migaja vn cielo Llega alma,y toma lugar muy de assiento,come con reposo,tu boca sea medida;y aduierte, que quanto mas tu la dilatares, mas la llenarâ el Señor,repara en lo que comes,y comerás con espiritu.

P.3. Comian las regaladas viãdas con buen gusto,como quienes tan bueno le tenian: eran todos Principes hechos a grandes bocados,y assi sabian hazer estimacion de lo que era bueno, comian mucho, acostumbrados à

co-

comer bien, y como cortesanos
hazian lisonja al señor del banquete, con el logro del regalo, y
mas para vn Principe que pica-
ua en liberal, y manirroto. Los
platos eran tan exquisitos, quan
bien sazonados, y assi nada per-
donauan à su gusto, no perdian
ocasion, nada se desperdiciaua *
Pero aduierte, que por mucho q̃
aquel poderoso Rey les quiso
dar, no llegó à darseles à si mismo; quedese esso para este gran
Dios, que oy alma para si mismo
te combida: compiten su poder,
y su querer. No los ama tanto
Assuero, que les dè vn braço suyo en vn plato, que les brinde cõ
la sangre de sus venas, que les haga

ga pasto de sus entrañas: pero este gran Rey de Reyes y Señor de Señores, ama tanto a sus combidados, que les abre su costado, antes con el amor, q̃ con el hierro; hazeles plato de sus entrañas, y brindales con su preciosa sangre. Alma; esto si que es combidar, y esto comer; llega con hambre insaciable á vn manjar infinito; repasa lo que comes, que por esso se llama pan de entendimieto, y comida de entendidos, procura estar de dia, y boca hecha à reales bocados, no degenere despues en los grosseros manjares del mundano egito.

P. 4 Mas ay dolor, que siẽpre el pesar alinda con el contento;

to

todos los banquetes fueron azares, y este del jardin de Assuero, el que mas, perecio la Reina; porque no parecio. Mandò el Rey, que cõ su belleza coronase la celebridad; desestimó ella el fauor desconocida, y sintiò la indignacion del Rey desgraciada: perdiò con el combite la corona, y porq̃ no quiso assistir al lado del Rey fue cõdenada a perpetua ausẽcia del mayor lucimiento, a las tinieblas exteriores; en la misma mesa fue condenada, que está en ella el juez, y quien come mal, se come, y bebe el juizio. * Escarmiẽta tu, ó alma mia en boca agena, acude al banquete del altar con tanta preparacion, como esti macion,

cion, mira que por ti se haze la fiesta, no faltes tu por grosera, como otras por atreuidas. Conoce tu dignidad, y tu hõra, pues no solo estarás al lado del Rey, sino que èl estará en tu pecho. Vẽ con gracia, y buelue con gracias, rindiẽdolas infinitas, q̃ temo no seas desgraciada por lo desagradecida.

MEDITACION XXVII.

Para llegar à recibir al Señor, adorandole con los tres Reyes, y ofreciendole sus dones.

PVnto primero. Sigue oy con la contemplacion, y acompaña

ña con la fe tres Reyes de la tierra, en busca del Rey del cielo, son sabios, que es grã disposicion para hallar la sabiduria infinita. Salen del oriente, principio del mũdo, del començar à viuir; buscan el sol guiados de vna estrella. Llegan á la gran Corte de Ierusalen, donde todo es turbacion, y hallan al Señor en el sosiego de Belen: desmontan de su grandeza, y acomodanse á la llaneza; los primeros passos que dàn, son cõ sus bocas por aquel suelo, para auer de llegar al cielo de su pie: entran donde todo es abierto, descubrẽ vn niño recien nacido, y vn gran Dios, que no se diuisa, ni aqui lo pequeño, ni allà por lo gr so. Logranle en braços de la aurora, entre lagrimas, y perlas, juranle por su Monarca, y adoranle por su Dios, ofreciendole entre dones sus coraçones.* O tu, que oy has de comulgar, pondera que sales en busca del mismo Rey, ó si fuesse guiado de la estrella de tu dicha, de la luz de su diuina gracia, hallarlehas si eres sabio, no deste siglo, sino desengañado: vèn del oriente de tu vida, y caminando aprissa por las sendas de la perfeccion.

P. 2. Guia la estrella á los tres Reyes, al passo que los desengaña, introduxolos, no en vn sobernio palacio, sino en vn humilde portal, entran no solo pecho por tier-

tierra, sino lamiendola como trono de sus pies; no admiran tapicerias de seda, y oro, sino telas de viles arañas, en vez de los estrados de brocado, hallã vn establo alfombrado de pajas, en medio de los brutos la sabiduría infinita, trocado en vn pesebre de bestias, el excelso trono de los Serafines. Arrojaronse luego à sus pies, haziendo sitial de sus coronas, compitiendo las eleuaciones de su espiritu, con humiliaciones de su afecto: llorauã, y reían juntamente, efectos de vn niño sol, y en la mayor pobreza del mundo, reconocen toda la riqueza del cielo. * Alma, ey la estrella de tu suerte te guia, sino à vn portal, á vn Altar; donde està esperando tus tres potencias el mismo niño Dios, que diò audiencia à los Reyes: no te cuesta tantos passos como a ellos el hallarle, que bien cerca le tienes; no solo te permite que le adores, sino que le comas: si los Reyes tienen por gran fauor lamer la tierra del portal, *terram lingent*: à ti se te concede lamer su humanidad, y sustentarte de su diuinidad; ellos llegan a besarle el pie, tu à meterle dentro de tu boca; ellos á tomarle en sus braços, tu dentro de tus entrañas, estima tu dicha, y lograla ventajosa.

P. 3. Franquearõ los Reyes sus tesoros al niño Dios, despues de auer-

auerle presentado sus almas: ofrecenle entre los resplandores del oro, las amarguras de la mirra, pronosticandole como astrologos fieles las penas de su passion. Despues de auerle adorado como á Dios, desean acariciarle, como á niño; permitioseles la Virgen Madre, si ya a los rusticos pastores; pediale vno, tomauale otro, y ninguno le dexaua, abrigauanle con sus purpuras en obsequio, al que auia de vestir otra con ignominia: no se hartauā de sourosear aquellos carrillos à besos, que despues sus enemigos auian de ensangrentar a bofetadas, y los que vinieron tan de prisa, lograuan su dicha muy de espacio, no hallauan el camino de boluerse, y fue menester que se les mostrasse el diuino oraculo en su desvelado sueño. * Alma, postrate tu à los pies deste Dios niño, despues de auer comulgado, presentale tus tres potencias; el incienso en contemplaciones; el o o en afectos, y la mirra en las memorias de sus dolores: ofrecele vna fe viua, vna esperança animosa, y vna caridad abrasada: franqueale el incienso de la obediencia, el oro de la pobreza, y la mirra de la castidad; siruele la oracion para con Dios, la limosna para con el proximo, y la mortificacion para contigo.

P. 4. Mostraronse los Magos li-

liberales en las obras, no menos en los agradecimientos, y alabãças del Señor, procedieron en todo como Reyes, en cuyos coraçones no caben cosas pocas: lo que enmudecierõ en informar à Herodes, se mostrarian eloquẽtes en bendecir al Señor; pregonarian en sus regiones las marauillas del hallado Rey y es sin duda que los labios que sellaron en sus tiernas plantas, no se cerrarian á las agradecidas glorias.

* O tu que has comulgado, procede como Rey, no como villano tosco, muestrate sabio en el agradecimiento, nada necio en el oluido: retorna en alabanças las dichas, repassa, y reposa la co-

mida del cielo, en el sueño de la contemplacion: buelue por otro camino â nueua vida, cargado de virtudes, en recambio de sus dones: buelue al oriente del feruor, y no al ocaso de la tibieça.

COMVNION XXVIII.

Careando la grandeza del Señor, con tu vileza.

PVnto primero. O mi gran Dios, y Señor, mi espiritu desfallece quãdo veo q̃ vos vn Dios infinito, coronado de infinitas perfecciones, os dignais entrar en el pecho de vna tã vil hormiguilla como yo: vos inmenso, q̃ no

no cabeis enlos cielos, ni en la tie
rra, os estrechais en el seno de
vndespreciable gusano: vos todo
poderoso, q̃ podeis criar otros
infinitos mundos llenos de otras
criaturas muy perfectas, quereis
meteros dentro la poquedad des
ta vil criatura, que nada puedo,
y nada valgo: vos sabiduria infinita, que todo lo sabeis, y todo
lo comprehendeis, lo passado, lo
presente, y lo venidero; y quãto
es possible os allanais assi con
quien es la misma ignorancia:
vos eterno, indefectible, que fuis
tes antes de los siglos, y sois, y
sereis siempre, venis à mi, que en
vn punto desaparezco: vos, Señor, infinitamente santo, y bueno

no, quereis morar dentro del pecho de vn tan indigno pecador: vos la suma grãdeza, yo la misma vileza: vos todo, yo nada! Si las colunas del cielo tiemblan ante vuestra diuina presencia, como no se estremecerán las paredes de mi coraçon? Ayudad, Señor, mi vileza, confortad mi pequeñez, para que no desfallezca al recibiros.

P 2 Dios mio, y Señor mio, si el Bautista no se tenia por digno de desatar la correa de vuestro çapato, como llegare yo, no solo à la cinta, sino à tocaros todo, à comeros, y à meteros dentro de mi pecho; q̃ dixera el Bautista, si huuiera de comulgar, si huuiera de de recibiros, Señor, y meteros dentro de su pecho. Si Iuan santificado en el vientre de su madre, confirmado en gracia, criado en la aspereça de vn desierto, luzero del sol Precursor vuestro, no se halla digno de tocar la correa de vuestro çapato: yo nacido, y criado todo en pecados, yo lleno de culpas, y miserias, yo vn tan gran pecador, como he de llegar à recibiros, como os he de poner en mi boca, y meteros dẽtro de mis entrañas? Si Iuan con tanta penitencia, sin culpas se encoge, que harè yo cõ tantas culpas, sin penitencia? Mas oigo, q̃ me està diziendo el mismo Bautista, he aqui el Corderito del Señor,

ñor llegate à èl, que si es infinita su grandeza, tambien lo es su misericordia si es vn Dios inmenso tābien es vn Corderito manso, si tu estas lleno de pecados, èl es el que los quita: limpiadme, pues Señor mio, mas, y mas, criad en mi vn coraçon limpio; renouad vn espiritu recto en mis entrañas para poder hospedaros en ellas.

P. 3. Quiē sois vos Señor, y quiē soy yo? dezia el humilde S. Francisco; lo mismo repetirè yo muchas vezes. Si el santo Patriarca Abrahan, se encogia para aueros de hablar, y dezia que era poluo, y zeniça, como he de llegar yo, no solo a ponerme delante de vos, sino à poneros dentro de mi pe-

pecho. Si los Serafines de vuestro trono abrasados de amor se cubren los rostros con las alas, como corridos ante vuestro soberano acatamiẽto, como me atreverè yó tan frio, y perezoso en vuestro seruicio, á llegar a poner mi boca en vuestro costado, à sellar mis labios en vuestras llagas, á recibiros dentro de mi pecho? Que es possible, exclamare con Salomon, que es imaginable, que el mismo Dios, real y verdaderamente more dentro de mi? porq̃ si los cielos de los cielos, no os pueden Señor abarcar, quanto menos esta pobre morada, donde os dignais oy hospedar? Pero atẽded Señor, à mis plegarias, no á mis à mis demeritos, ſupla mi humiliacion mi vileza, y el miſmo conocerla, ſea diſculparla.

P. 4. O mi Dios, y mi Señor, y donde eſtaua yo, quando os alabauã las eſtrellas de la mañana? ſi vueſtro luzero Iuã, os venerò en preſencia, y os celebrò en auſencia por tantos fauores recibidos, que dirè yo por mercedes tan continuadas: querria cantar oy vn cantar nuevo, porq̃ hiziſtes cõmigo vna marauilla de marauillas: y ſi vos hiziſtes memorial de ellas en eſte diuiniſsimo Sacramento, yo harè vn memorial de eternas alabanças: ò ſi bolaſſe vn Serafin vueſtro á purificar mis labios, primero para

re-

recibiros, y despues para ensalçaros: cātarè eternamente vuestras infinitas misericordias: y aūque me reconozco vil, y baxo, no querria ser grosero; antes lo que os he estrechado Señor al recibiros, querria engrandeceros al celebraros; darè gracias sin cessar al que me corona de misericordias.

MEDITACION XXIX.

De la gran Cena, aplicada à la sagrada Comunion.

PVnto primero. Cōsiderarâs, como en este grā Señor, realça la bondad su grandeza, compipitenſe lo infinito bueno, con lo comunicatiuo mucho, y lo padre con lo Rey poderoſo: no ſe reſeruа para gozarſe à ſolas ſus infinitos bienes, ſino que a todos los franquea, haſta combidar cō los teſoros, y rogar con las felicidades. Embia ſus criados tan diligentes, como alados à buſcar los combidados perezoſos; pero villanos eſtos, porq̃ terreſtres deſprecian la honra y malogran el prouecho; eſcuſanſe de venir necios, ſobre deſgraciados, y hechos à los viles manjares de ſu Egito; aſquean las delicias del cielo: detienen à vnos los grillos de oro de ſu codicia, a otros la liga de la ſenſualidad, deſvanece á muá muchos ambiciosos la hõra, q̃ son las concupiscencias mundanas: desuerte, que todo està preuenido, y faltan los combidados, quien tal creyera? Pero es el combite del cielo, y ellos muy del mundo, y lo que el Señor se ostenta cortès, ellos se muestran villanos. * Acuerdate tu alma, quantas vezes has cometido mayores grosserias, pues combidãdote el Rey del cielo a su mesa, villana tu desconociste el fauor, malograste la dicha, y en vez de prepararte para ir à comulgar, te rendiste á vna inutil tibieza, à vn vano entretenimiento. Saca vna bien reconocida enmienda, y vn deseo eficaz de frequentar este sumptuoso banquete.

Pu 2. Viendo el señor del que no gustan de venir los combidados, gente de harto mal gusto, y que instados de su bien le desprecian, no por esso se disgusta con los demas, ni trata de retirar sus beneficios, antes con mas deseo de comunicarlos, dá nueuos ordenes, y manda a sus ministros salgan á las calles, y a las plaças, y conuoquen todos los pobres, pues los ricos se retiran; vengan los hambrientos que de ellos es la gran cena, y sea el mayor castigo delos mūdanos el no probarla, ni verla. Acudē estos tā prōptos, como necessitados; vienen los cojos diligentes, los ciegos â

dar.

dar en el blanco, entran con humildad, y son recibidos con agasajo, llenanse las mesas de pobres de espiritu, despreciados en el mundo, estimados en el cielo, q̃ dellos es el reynar con Dios. * Considerate tu el mas pobre de quãtos ay, cogeando siempre en la virtud, manco en el biẽ obrar, y hazte encontradizo cõ los Angeles, entremetiendote en el cielo, no aguardes á ser buscado, llega humilde, y seràs bien recibido, mira que es gran disposicion el hambre para tanto manjar.

P. 3 Con que apetito se sentarian á la abundante mesa los mẽdigos, comense los pobres las viandas de los Principes, como se saborean ã en ellas, sin el astio de ahitos, sin el peligro de empachados; no pierden punto, ni tiẽpo, no se diuierten a otra cosa, porque saben que es cena, y que no les queda a que apelar; nada deshechan, que ni lo permite la gana, ni la sazon de los manjares, entrales muy en prouecho, lo q̃ tan bien les sabe, y quedan muy satisfechos, los que hasta oy no han comido cosa de sustancia. * Imaginate tu el mas misero de todos, llega cõ hambre à esta mesa sacramental, y comerás con gusto, que por grande que fuesse aquella cena, no fue mas que vna sombra de la tuya; saboreate como mendigo, y vete entreteniẽdo do muy de espacio en este delicioso manjar, comelo con fe, rumialo con meditacion, aduierte bien lo que comes, y hallarás que en toda tu vida no has probado hasta oy cosa, ni de gusto, ni de sustancia.

P 4 Que contentos, que satisfechos quedarian estos, no ya pobres, sino ricos combidados, q̃ aquel te enriquece, que te haze el plato; como igualaria aora lo agradecido a lo hambriẽto; qué de gracias repetirian al señor del combite, los que no se auian visto satisfechos hasta este dia? que parabienes se darian vnos a otros de su dicha, a vistas de la desdicha agena? Y como que la reconocerian,y la celebrarian. * Alma,reconoce tu dicha, leuãta tu voz con la agradecida Reyna de los cielos,magnificando al Señor y diziendo à los hambrientos llenò de bienes,y à los fastidiosos ricos, los dexò vacios; muestrate tan agradecida,quanto fuiste honrada; pide a los Angeles te presten sus lenguas, si ya para el gusto,aora para el agradecimiento. Saca llegar à comulgar como pobre hambriento â la gran cena.

MEDITACION XXX.

Para recibir al Señor,como tesoro escondido en el Sacramento.

PVnto primero. Cõsidera quã do vn hõbre de riquezas llega

ga à tener noticia de algun gran
teſoro eſcondido, con que facilidad lo cree, con que diligencia
lo procura, no ſe echa a dormir,
el que no ſueña en otro que en
enriquezer; no come, ni bebe hi-
dropico del oro; ſu primera diligencia es cõprar el campo dõde ſabe q̃ eſtá, para tenerle mas
ſeguro, èl miſmo ſe pone al trabajo de cabarlo, porque de nadie ſe fia, la eſperãça de hallarle,
deſmiente ſu fatiga, y no ſientẽ
que rebienta de cãſancio, el que
rebienta de codicia, crece el ain
co al paſſo que ſe vá acercando à
èl, y alienta los canſados braços,
el codicioſo coraçon. *Alma oy
te ha dado noticia la fee de aquel

teſoro tan grande, como infini-
to, eſcõdido en vn campo de pã, tan precioſo, que encierra en ſi toda la riqueza del cielo; pobre eres, y bolueràs rica, ſi le hallas. logra eſta miſericordia, y ſaldràs oy de miſeria, aqui tienes en eſta hoſtia todos los teſoros eternos, como no los buſcas diligente? como no los logras dichoſa? muy à mano tienes el teſoro, gozale à manos llenas: llega à la ſagrada comunion con el anelo que vn auaro, a vn gran teſoro.

P 2. Llamo Pablo eſtiercol las riquezas deſte mundo, y con razon pues vienẽ a parar en baſura, ſon corruptibles, y dexan burlalados sus necios amadores; son inmundos, y ensucian de vicios el coraçon: locura seria, y grande llenar los senos de basura, pudiẽdo de ricas joyas, cargar en el monton de lodo, pudiendo en el de oro. Esto hazen los hijos deste siglo, bastardos del eterno; desprecian el tesoro del altar, y estimã el muladar del mundo. * No seas tu tan sin juizio, quando de tan mal gusto, que pierdas vn tesoro en cada comunion, por vn vil interès, por vn suzio deleite, por vna necia pereza: llega con codicia, y bolueràs con dicha.

P. 3. Que contento se halla el q̃ hallò el tesoro escondido y mas si precedierõ en èl lo codicioso, y lo y lo pobre: con que afan le vá descubriendo, y con que gusto gozando, viẽdolo está; y no lo cree, y no fiandose de los ojos, llega à satisfazerse con las manos, pero que mucho si todos los sentidos y potẽcias tiene alli empleados, sin diuertirse á otra cosa, porque nada se pierda; que haze de llenar los senos, y aun los ensancha porque quepan mas: la carga le es aliuio, y el pesar es de que no pesa mas: ya buelue de su casa al campo, sin parar vn punto, mientras aya que lleuar; vacia los senos y llena las arcas, y buelue cõ diligencia a cargar, buelue, y rebuelue, mira, y remira, busca dõde ya buscò; que esto es atesorar y pay para toda la vida.* Alma, tu q̃ hallaste el riquissimo tesoro tan escondido, como sacramentado en el campo del altar; con que afecto devrias llegar á lograrle, con que atencion a descubrirle, con que ansia a recoger, con que gusto à gozar? mas ay que no conoces el biẽ que tienes, no sabes lo que vale, y lo que te importa, reitera los caminos en frequentes, y deuotas comuniones, y enriquezeras, acaba de deponer tu tibieza, enemiga de la riqueza; mira que atesoras para ti, y para passar toda tu vida, y essa eterna, con dicha, y con descanso.

P.4. Con que gozo reconoce su felicidad el que halló el teso-

ro,

ro, cada dia renueua la memoria de su dicha, teniẽdo muy presente aquella primera alegria; estima toda la vida aquel punto en que salió de miseria, y consagra el feliz dia á la eternidad, señalandolo con piedra blanca, y aun preciosa. Que agradecido le queda al que le dió la noticia, y ya que no admita parte en las riquezas, rindele las gracias, cuẽta vna, y muchas vezes su suerte à sus confidentes, congratulandose con ellos de su ventura. * O alma, si conociesses tu dichá, como la estimarias; si llegasses à entender la infinita preciosidad deste manà escondido, que es manà para el gusto, y piedra candida da en la dicha suerte, q̃ gracias q̃ darias al Señor? repite su memoria cada instante, y frequentalo cada dia; aduierte que es tesoro infinito, que nũca se agotarà, antes cada dia le hallarâs entero, siẽpre el mismo. Muestrate agradecida al Señor, que lo reseruó para ti, mira no lo pierdas por ingrata, ni lo malogres desconocida, viue dèl toda tu vida, que será viuir á Dios por todos los siglos, Amen.

MEDITACION XXXI.

Para llegar à la comunion, con el feruor de los dos ciegos que alũbrò el Señor.

PVnto primero. Considera como se preuiene de la vista de la

là fe el feruoroſo ciego de Gericò, para cõſeguir la corporal. Sale en buſca del Saluador, ſin acobardarle el rezelo de los tropieços, ni embargarle la pereza cõ eſcuſas de impoſsibilidades: vè que no ve, y vè lo que le importa el ver, y aſsi ſale de ſu caſa dexandoſe à ſi miſmo; lo primero; no le falta lengua para gritar, aunque le falten ojos para ver, y quien lengua tiene para cõfeſſar ſus males, al remedio llegarà: parca la omnipotencia, con la miſericordia de Ieſus, y aſsi le nombra empeñandole en tan ſaludable nombre. Ieſus, dize, hijo de Dauid el manſo, no degenerareis vos de miſericordioſo: Ie-

ſus

ſùs hijo de Dauid, a quien le fue prometido el Saluador, dadme à mi ſalud, tened Señor miſericordia de mi, vos, y de mi: vos vn Dios infinito, de mi vn vil moſquitillo; vos ſois mi criador, vos aueis de ſer mi remediador, vos me diſtes lo mas, q̃ es el ſer, dadme lo menos q̃ es el ver, no ſeais Dios eſcondido para mi, ſiendo tã conocido en Iudea: deſta ſuerte diligencia ſu remedio, à vozes de oracion. * Imaginate à ti ciego de tus paſsiones, ſin ver lo q̃ mas te importa, ſin conocer tu Dios, y tu Señor: grande es la ceguera de tu ignorancia, mayor la de tus culpas: pues mira ciego, q̃ oy tienes aqui el miſmo Ieſus, y

Sal-

Saluador, ſino en Gericò, en el al tar; dà vozes ſi quieres ver, o ſi deſeas ſalud, para conſeguir tan gran bocado, quien lengua, tiene para pedir perdon, al cielo llegará; acude guiado de la fe, llamale no ya hijo de Dauid, ſino Ieſus hijo de Maria, que es mejor, aya miſericordia para mi.

P. 2. Veniaſe acercando el Saluador ázia el ciego, gran dicha no eſtar lexos del Señor, perdiale de viſta con los ojos del cuerpo, cobrauale con los del alma: valeſe de la voz, quando no puede de la viſta, y esforçandola con alientos de feruor, prorrumpe en vozes de eſperança: Ieſus, dize, que es dezir fuente de ſalud, y de y de vida, aya para mi vna gota; ſi vos Señor no me remediais, quien ſerà baſtante? no ſerè yo tan maldito que confie en algun hombre; no dàn viſta las criaturas, antes la quitã. Reñiãle vnos y otros, enfadados de ſus vozes, no experimentados de ſu miſeria, dezianle ellos que callaſſe, y eſcuchauale Ieſus, y daua mayores gritos: Señor, miſericordia de mi miſeria, ſi yo no os veo á vos, vos bien me veis á mi. Que quieres? le pregunta Chriſto, para que conozca mas ſu neceſsidad, y ſu remedio; y reſponde èl, que puedo yo querer, ſino el veros que en vos lo verè todo, Dios mio, y todas mis coſas. * Oye alma, que contigo habla oy el mismo Señor, y te dize: que quieres? Que buscas? pide mercedes a quien te combida con su cuerpo, y sangre, porq̃, que no te darâ quien se te dà todo, yo soy tu blanco, fixa en mi la vista, yo soy tu centro, descansa en mi. Que quieres? pregunta el Señor, respondele tu, que puedo yo querer sino á vos, el veros, y gozaros, recibir, y recibiros, cerrad mis ojos à la vanidad, abridlos á su blanco. Que quieres? yés dezir, sabes que cosa es comulgar? *Scitis quid fecerim vobis?*

P. 3. No se mostró menos misericordioso el Señor cõ el otro ceguezuelo de su nacimiẽto, antes

tes mas misterioso, pues pudiendo con sola su palabra curarle, tomó lodo y pusosele en los ojos, haziendo colirio del que parecia estoruo; cogiò tierra, y amasola con su saliua, con que la conuirtiò en vn terion de cielo, y fue remedio la que ya daño; de los poluos de su humildad, quiso saliesse el lodo para su salud; abriòle los ojos, quando parecia se los tapiaua, con esto, y con lauarse alcançó tan buena vista, q̃ pudo ver quãto pudiera desear. * Pondera aora la ventaja de tu fauor, pues no te aplica el lodo amasado con su saliua, sino su mismo cuerpo amasado con su sangre, y lleno de su diuinidad;

ponle no solo sobre tus ojos, sino dentro de tu pecho, ponle en los ojos de tu alma cō conocimiento y afecto, reconoce que para darte á ti là vista, te dà sus mismos ojos, mira ya con los de Christo, habla con lengua, camina con sus pies, viue con su vida, diziendo con san Pablo, viuo yo, mas ya no yo, porque Christo viue en mi, el es el que mira, y el es el que habla en mi. Saca que si la saliua del Señor obra tā eficazmēte, que dá la vista a vn ciego que no obrará en el que comulga la carne, y sangre del Señor, vnidas con su diuinidad?

P. 4 Recibiò tal alegria el ciego con la vista, que iba dādo saltos

tos de placer, corriendo à la eter
na corona. Boluiò luego al Señor agradecido à lograr la vista,
viẽdole, q̃ no ay otro que ver, á
emplear la lengua ensalçandole:
confessauale por su Dios, y Señor, a pesar de aquellos ciegos
de embidia; postrase pecho por
el suelo, para ensalçar a su Reden
tor, pone sus rodillas en la tierra, que le fue puesta en los ojos,
adora à su criador, y alaba á su
remediador; siempre que abriria
los ojos para ver, abriria su boca para agradecer el fauor. * O
con quanta mayor razon deues
tu, alma mia, rendir gracias á'l
Señor de vna merced tan diuina: ten fixa siempre la mira en el

Señor, para que libre tus pies de los laços de Satanas, y pues tienes ojos de fe para ver, y conocer tu Dios, y Señor en essa Hostia, trata de hazerte lenguas en celebrarle, y ensalçarle, por todos los siglos, &c.

MEDITACION XXXII.

Para recibir al Señor, del modo q̃ fue hospedado en casa de Zacarias.

PVnto primero. Meditaràs oy la humildad de Maria, la deuocion de Isabel, el pasmo de Zacarias, la alegria de Iuan, y las misericordias del niño de Dios. Considera, que despreciaeni la juzgaria.

ria su casa santa Isabel, para recibir los Reyes del cielo, que se le entrauan por ella? Incredulo Zacarias á las dichas, y mudo à los aplausos; el niño Iuan poco fuera encerrado en la materna clausura, sino lo estuuiera mas en la carcel de la culpa. Isabel por lo anciana inutil, y por lo preñada impedida al deuido cortejo: viẽdo esto acogese a la humildad, y echando por el arbitrio del encogimiento, que es èl la mayor preparacion para tan grandes huespedes, suple con humillaciones las faltas de preuenciones * Pondera tu, que has de comulgar, q̃ viene oy el mismo Rey, y Señor á visitar tu casa; si alli metido en la carroça virginal, aqui en vna hostia; si alli baxò las cortinas de pureza, aqui entre accidentes de pan: mira quan desprevenido te hallas, que falto de las virtudes, con que quiere ser agassajado este Señor; y assi dà en el arbitrio de la humildad; espantate de ver, que aquel Señor que ocupa los cielos, quiera hospedarse en tu pecho; encogete con mas causa que santa Isabel, y supliràs con humildad, lo que te falta de deuocion.

P. 2. De donde a mi, dize santa Isabel, con ser prima, y con ser santa, que la Madre de mi Señor venga à mi casa? Quando mereci yo tanta dicha? yo menos q̃ esclaclaua, ella Reina de los cielos: no dixo q̃ el mismo Dios, y Señor, que essó no tenia ya ponderacion; pero si con la Madre se cõfunde, que seria con el infinito, eterno, inmenso, y omnipotente hijo? basta este argumẽto de menor à mayor, a concluir á vn Serafin, quanto mas á vna hormiga. Gran palabra esta de santa Isabel, verdadero exemplar de todos los que comulgan. De dõde a mi? * Por estas palabras deues tu començar, alma mia, quando has de hospedar vn tan alto Señor, repitelas muchas vezes: de donde à mi vn vil gusano, vn miserable pecador, vn merecedor de nueuos infiernos; à mi lle-

lleno de culpas, ingrato, villano, desconocido; à mi vna hormiguilla de la tierra; â mi poluo, y ceniza; a mi nada, y aun menos? y que venga el mismo Dios? aquel infinito inmēso, y eterno S. ñor? y no solo à mi casa, sino a mi pecho, que se entre no solo por mis puertas, sino por mis labios, que penetre, no ya al mas escondido retrete, sino á mi coraçon? como no me confundo, como no desmayo? sin duda que soy insensible?

P. 3 Atiende como agasaja santa Isabel, à su huespeda Maria, y como corteja el niño Iuan, al niño Dios, que en esta casa, todo và proporcionado, nadie està ociocioso en ella. En viendose libre de la culpa Iuan, dà saltos por acercarse al Señor, como quien dize: ò venid vos á mi, Dios mio y Señor mio ò hazed de modo q̃ yo pueda acercarme a vos. O como le abrazàra, y le apretára, y le vniera consigo si pudiera? La voluntad bien se vió: en oyendo santa Isabel la voz de la purissima cordera, reconoce Iuã el corderito de Dios, que quita los pecados del mundo, diò saltos de placer, que no ay contento como salir del pecado. * Pondera tu, que has recibido al Señor, si Iuan no cabe de contento dentro las maternas entrañas, por ver que cabe en su casa el infinito, to Dios: tu que le has hospedado oy dentro de tu mismo pecho, q̃ saltos deurias dar de placer en el camino de la virtud, q̃ llegassen à la vida eterna? Si Iuan porque le siente tan cerca de si; tanto se alboroza; tu que le tienes dentro de ti mismo, quanto te deurias consolar; mas ay que no siẽtes ni conoces! alli se quedo el Señor dentro las entrañas de su Santissima Madre, y aqui se passa à las tuyas: no se pudo acercar Iuan inmediatamente al Señor, con que hizo tan grandes esfuerços; y tu te acercas tanto, que te vnes sacramentalmente con èl. Deseó san Iuan llegar â sellar sus labios en los pies de aquel Señor, cuyo çapato no se atreuiò despues quando mas santo à desatar; y tu le recibes en tus labios, le metes dentro de tu boca, le tragas, y le comes, procura de viuir dèl, con el, y para èl.

P. 4. Todos quedarõ gozosos, y todos agradecidos, reconoció Isabel à par de su humildad el fauor; fue llema del Espiritu Santo en las mercedes, y en los clamores, recibiendo, y agradeciendo: no disimulo su gozo el niño Iuã quando assi se haze de sentir, y ya que no puede a gritos, a saltos lo publica, era voz del Señor, y empieçase despues en sus diuinas alabanças. Cantó la Virgen

Ma-

Madre, magnificando al Señor, obrador de mercedes, y marauillas. * Alma, no enmudezcas tu, entre tantas vozes de alabança: sé voz de exaltacion con Iuan, no mudo silencio con Zacarias: abre tu boca al agradecimiento, pues la abriste a la comida, no sea Montañès tu pecho en lo retirado, si cortesano del cielo en lo agradecido: leuanta la voz con Isabel, salta con Iuan, y engrandecele con Maria Santissima.

MEDITACION XXXIII.

De como no hallò en Belen donde ser hospedado el niño Dios, aplicado à la comunion.

Punto primero. Cõsidera qua

nial

mal dispuestos estauan aquellos Ciudadanos de Belen, pues no hospedaron en sus casas, a quien deuieran en sus entrañas, auianse apoderado de ellos la soberuia, y la cudicia, y assi no les quedò lugar para tan pobres, y humildes huespedes: no ofrecen siquiera vn rincon, a quien deuierã sus coraçones. Ciegos del interès los parientes, no vèn el bien q̃ se les entra por sus puertas; y los que no reconocen en el pobre à Dios, tampoco conocen a Dios hecho pobre * Atiẽde alma, que oy ha de llegar á llamar à las puertas de tu casa el mismo Señor; si alli encerrado en la virginal carroza, aqui encucubierto en vna hostia: desocupa el coraçon de todo lo que es mundo, para dar lugar a todo el cielo, que vn empireo auia de ser el seno donde se ha de hospedar este inmenso niño: procura adornarlo de humildad, y de pobreza, que estas son las alhajas de q̃ mucho gusta este gran huesped, que esperas.

P. 2. Van buscãdo los peregrinos del cielo, vn rincon del mundo donde alojarse, y no le hallã; todos los desconocen por ser desconocidos, ni aun de mirarles, ni escucharles no se dignan. He aqui que no halla cabida en el mundo, el que no cabe en los cielos, y el vil gusano, que no tiene

ne cabida en el cielo, no cabe en
todo el mundo; iria la Virgen de
puerta en puerta, y todas las ha-
llaua cerradas, quãdo tan de par
en par las del cielo : de la casa de
vn pariente, passaua à la de vn co
nocido, hazianse todos de nueuas preguntandola quiẽ era? res-
ponderia la Virgen, que vna pobre peregrina, esposa de vn pobre carpintero; y en oyendo tanta pobreza, dauanles cõ las puertas en los ojos. No digais assi Señora, que no entiende el mundo
esse lẽguaje, dezi que sois la Prin
cesa de la tierra, la Reina del cielo, la Emperatriz de todo lo cria
do. * Mas ay, que essos gloriosos
titulos se quedan para tu puer-

ta; ó alma mia; aduierte que llega oy à ella esta Señora, y te pide que la acojas, que la dès lugar donde nazca el Niño Dios; mira lo que la respondes; que de vezes le has negado la entrada cõ mas groseria que estos, pues con mas fe, auiuala, y considera, que el mismo niño Dios, que iba buscando alli donde nacer, aqui busca quien le reciba; alli entre velos virginales, aqui entre blãcos accidentes; a las puertas del coraçon llama, y no ay quien le responda, no halla quien le quiera, el querido del Padre Eterno, el deseado de los Angeles. Ea alma mia, leuantate del lecho de tu tibieza, de tus mũdanas aficiones,

aca-

acaba, no emperezes, que passarà adelante á otro mas dichoso albergue.

P. 3. Estaua el Verbo Encarnado sin tener donde nacer, no siẽte tanto que en la que ha de ser su patria le estrañen, quanto que en la que es casa de pan, no le reciban. O como le acogieran los Angeles enmedio de sus aladas Gerarquias! Como le aluergara el Sol, y le ofreciera por talamo su cẽtro, como el Empireo se trasladara á la tierra, para seruirle de palacio: pero esta dicha á ninguno se le cõcede, solo se guarda para ti. O tu el q̃ llegas á comulgar, ofrecele a este Niño sacramentado por aluergue

tu pecho, rasguēse tus entrañas, y siruanle de pañales las telas de tu coraçõ. Retiraronse á lo vltimo cansados, y injuriados á vn establo, que hizo su centro el Señor, por lo pobre, y por lo humilde; alli reciben los brutos cõ humanidad, al que los hombres despidieron con fiereça, reclinòle su Madre en vn pesebre, alternandole en su regazo, descansa entre las pajas el mejor grano, cõbidãdo a todos en la casa del pan, para que todos le coman. * Alma, no seas mas insensible que los brutos, el buey reconoce à su Rey; no estrañes tu a tu dueño, miralo con fe viua, y hallarás, q̃ èl mismo real y verdaderamēte,
que

que eſtaua alli en el peſebre, eſtà aqui en el Altar: quando mucho alli llegaras à acariciarle, y beſarle, aqui à comerle, alli le apretaràs con tu ſeno, aqui le metes dentro dèl: nazca, pues, en tu coraçõ, y aſsiſtanle todas tus potencias, amandole vnas, y contemplandole otras, ſiruiendole, y adorandole todas.

Pun. 4. No huvo en la tierra, quien hoſpedaſſe al Niño Dios, ni quiẽ nacido le corteiaſſe: meneſter fue, baxaſſen los corteſanos del cielo, y aſsi ellos cantaron la gloria a Dios, y dieron el parabien a los hombres, auiſandoles del agradecimiento. * Alma, pues, oy ſe ha trasladado el cielo a tu pecho, y el verbo eterno del seno del Padre à tus entrañas, del regazo de su Madre, a tu coraçon, como no te hazes lenguas en su alabança, y te deshazes en lagrimas de ternura? boca que tal manjar ha comido, no està bien tan cerrada, labios bañados cō las lagrimas de vn Dios niño, como estàn tan secos? Pide á los Angeles prestadas sus lēguas, para imitar sus alabanças, ora, canta, vocea diziendo: sea la gloria para Dios, y para mi el fruto de la paz, con buena, y deuota voluntad, Amen.

CO-

COMVNION XXXIV.

Recibiendo el Santissimo Sacramento, como grano de trigo sembrado en tu pecho. Nisi granum frumenti, &c.

PVnto primero. Cōsidera como el celestial agricultor, no solo se contenta con sembrar su diuina palabra en los coraçones de sus fieles, sino tambien el grano sacramentado en sus entrañas. Suele, pues, el cuidadoso labrador, antes de encomendar el fertil grano, al piadoso seno de la tierra, mullirla, y cultiuarla muy bien: arranca las malas yer-

uas, porq̃ no le embaracen, quema las espinas, porque no le ahoguen, y aparta las piedras, porq̃ no le sepulten; que tantos contrarios tiene antes de nacer, y muchos mas despues de nacido.
* Aduierte, que oy por gran dicha tuya, ha de caer el grano mas fecundo, y lo mas granado del cielo, en la humilde tierra de tu pecho, en el campo de tu coraçon: procura pues prepararle primero, para poder lograrlo; riegalo con lagrimas, que le ablanden; arranca los vicios, y de raiz, porque no le estoruen; abrasa las espinas de las codicias, porque no lo ahoguẽ; quita los molestos cuidados, porque no le impidã;
apar-

aparta las piedras de tu frialdad, y dureza, porque no le ſepulten, para que deſta ſuerte, bien diſpueſtos los ſenos de tus entrañas, y deſembaraçados, reciban eſte generoſo grano, que ha de frutificar la gracia, y te ha de alimentar con vida eterna.

P. 2. Teniendo ya la tierra preparada, madruga el diligēte ſembrador, ſale al campo, y con liberal mano và eſparciendo el mejor grano de ſus troxes, recogelo la tierra en ſu blando ſeno, allí lo abriga, y lo fomenta: el agua le miniſtra jugo, el ſol calor, el aire aliento: comiença el fertil grano a dar ſeñales de vida, vá ſaliendo à luz, la virtud q̃ en-

encierra, ensancha sus senillos, y estiendese a la par àzia el profundo, con humildes raizes que le apoyen, y âzia lo alto con lozanas verduras que le ensalçen. * Pondera, como oy el diligente agricultor de tu alma, traslada del diuino seno, al terreno tuyo, el mas sustancial grano, delicias del mismo cielo, en tu pecho ha caido, abrigale con feruor, riegale con ternura, fomentale cõ deuocion, alientale con viua fe, embueluele en tu esperança, conseruale en tu feruorosa caridad, para q̃ arraygue en tus entrañas cõ humildad, crezca en tu alma, coronandola de frutos de gloria.

P. 3. Es mucho de admirar, cõ quan

quan ſuaue fortaleza, và el grano de trigo apoderandoſe de la tierra, penetra ſu profundidad, y rõpe la ſuperficie., deſprecia el lodo, porque no le enſucie, y puebla el ayre donde campee, vence los muchos contrarios que le cõbaten, las eſcarchas, que querriã marchitarle, las nieues, que cubrirle, los yelos, que amortiguarle, los vientos, que romperle; y triunfando de todos ellos, ſube, crece, y ſe deſcuella. Trueca ya lo verde de ſus viſtoſas eſmeraldas, por el rubio color de la eſpiga, que le corona de oro, ſiruiendole de puntas ſus ariſtas. Que lindas campern las mieſſes; ſi ya verdes, aora doradas, alegrã do do los ojos de los que las mirã, y mucho mas de sus dueños, que las logran. * Pondera, que si todo esto obra vn granito material de trigo en poca tierra; que no hatá el grano sacramentado en el pecho del que dignamente le recibe? dale lugar para q̃ arraygue en tus entrañas, crezca por tus potencias, dilatese en tu coraçon, sazonese en tu voluntad, campee en tu entendimiento, y corone de frutos de sus gracias tu espiritu. O que bien parece el campo de tu pecho con las ricas mieses de tantas, y tan feruorosas comuniones, que vista tã hermosa para los Angeles, y q̃ agradable para tu gran dueño, que es Dios?

Dios? Sal tu con la consideració
à verlo, y con alegria á gozarlo,
enriqueze tu alma de manojos
de virtudes, de coronas de gloria.

P. 4. Que gozosos empuñan ya
las hozes los segadores, con que
solaz las mueuen, y los que antes
salieron con sentimiento a arrojar el grano, ya lo recogen cō ale
gria, sembraron con el frio, y sie-
gan con calor, pregonan á gritos
su contento, pero como villanos
son mas codiciosos, que agradecidos al dador, parando en relin-
chos profanos, las que auian de
ser alabanças diuinas. * Alma, tu
que reconoces oy los frutos de
aquel celestial grano, multiplicados

dos á ciento por vno, no imites á estos en la ingratitud, pero si en el contento, leuanta la voz a los diuinos loores, dediquense los cãtares de la exultacion de tu gracia, a la exaltacion de su gloria: resuenen el timpano, y el salterio, ya en afectos, ya en vozes, corresponda a la infinita liberalidad, eterno el agradecimiento, rindiendo a deudas de especial gracia, tributos de eterna gloria, Amen.

MEDITACION XXXV.

Para recibir el Niño Iesus desterrado al Egypto de tu coraçon.

PVnto primero. Cõtempla, q̃ mal le prueua la tierra al Rey del

del cielo: las vulpejas tienen madrigueras, y las aues del cielo nidos; y el Señor no halla dōde descansar, persiguele el hijo de la muerte, y del pecado al autor de la gracia, y de la vida: que presto le hazen dexar la Ciudad de las flores, al que nació para las espinas: en braços de su madre và peregrinando à Egypto, region de plagas, y de tinieblas; pero que barbaros le estrañan los Gitanos y que poco le agasajan groseros, cierran las puertas al bien que se les entra por ellas. * Alma, oy el mismo niño Dios se encamina al egito de tu coraçon; si alli faxado entre mantillas, aqui embuelto entre accidentes; no le trae el te-

temor,ſino el amor; no huye de los hijos de los hombres, ſino q̃ los buſca poniendo ſus delicias en eſtar con ellos: no le hoſpedes â lo barbaro gitano, ſino muy á lo corteſano del cielo; pero ſi eſtà tu coraçon hecho vn Egipto, cubierto de tinieblas de ignorãcia, lleno de idolos de aficiones, caigan luego por tierra, triunfen las palmas, florezcã las virtudes, broten las fuentes de la gracia, y ſea enſalçado, y adorado el verdadero Dios.

P. 2. Fue largo, y muy penoſo el viaje de los tres peregrinos de Ieruſalen, a Egipto, y peor la acogida: padecieron todas las incomodidades del camino, y no gozazaron de los consuelos del descãso. Nadie los queria hospedar porque los veían pobres, y estrangeros: y si entre los parientes y conocidos no hallarõ yа posada, q̃ seria entre estraños, y desconocidos? guardassecían todos de ellos, como de aduenedizos, y aun por algo dirian vienen huyẽdo de su tierra, y acertaran en dezir de su cielo, temen no les roben sus bienes, y pudieran sus coraçones; mirauanlos como desterrados, no sabian la causa, y sospechauan lo peor: no conocen el tesoro escondido, ni el bien dissimulado, antes se recelã no les hurte la tierra, el que viene á darles el cielo. Donde se aco-

gerá el niño Dios peregrino? dõ
de irà a parar? * Alma, a tu coraçon se apela; tu pecho escoge por
morada; tu que le conoces le recibe; llorando viene, enternezcã
se tus entrañas: los Gitanos le dã
con las puertas en los ojos; abrã-
se de par en par las de tu coraçõ:
oye q̃ llama a tu puerta, con llan-
tos, y suspiros, acallale con finezas: desterrado viene del seno del
Padre al tuyo; mira qual devria
ser la acogida; de las alas de los
Cherubines, se traslada á las de
tu coraçon, no basta qualquier
cortejo: esclanina blanca trae, q̃
es su color la pureza; hospedale
enmedio de tus entrañas en emu
lacion de los mismos cielos.

P.3. Siete años estuuieron desterrados en Egypto los paisanos del cielo, que desconocidos de los hombres? que asistidos de los Angeles? pero que poco se aprouecharon los Gitanos de su compañia, en tanto tiempo? Assi salio el Señor de entre ellos, como se vino; y assi acõtece a muchos, quando comulgã. No basto el agrado del niño Dios, la apacibilidad de la Virgẽ, ni el buen trato de san Ioseph, para ganarlos, fuerõ tan desdichados, como desconocidos, y siquiera, pues se comian los Dioses que adorauan, ò adornauan por deidades las cosas que se comian, bien pudieran adorar por Dios á vn Señor, que se auia de dar en comida.* Pondera quantos ay, que reciben al Señor à lo Gitano, y mas friamente; que ni le assisten, ni le cortejan, no mas de entrar, y salir, sin lograr tanto biẽ, como pudierã: estã muy metidos en su Egipto, casados con el mundo, no perciben los bienes eternos. No recibas tu al Señor á lo de Egipto, pues le conoces á lo del cielo, aũque ya podrias recibirle à lo Gitano, comiendote à tu Dios, y teniendo por Dios â vn Señor, que es tu regalo, y comida; auiua la fe, conocele, que aunque viene tã dissimulado, es Rey de la celestial Ierusalen: procura no perder el fruto, no solo de siete horas, sino

de

de siete años de su morada en tu
pecho, y aun de toda la vida, em-
pleandola en tan deuotas, quan
frequentes comuniones.

P. 4. No hazen sentimiento los
Gitanos, al ver q̃ se les và, y los
dexa el niño Dios; no le ruegan
se quede, los que no desearõ que
viniesse; no sienten se partida los
que no desearon su llegada, ni es-
timarõ su asistẽcia. No querria.
ò tu que has hospedado oy a este
mismo Señor, que fuesses tan desgraciado, como desagradecido.
ó que poco rastro queda en algu
nos de auer morado este Señor
en su pecho! que poco quedan
oliendo â Dios! y quan presto al
mundo; que poco prouecho sacã

de sus comuniones, quando pudieran tanto cielo. * Procura, quede en ti muy fresca la memoria, muy afectuosa la voluntad, muy reconocido el entendimiento de auer entrado, y auer morado este Señor en tu pecho. O q̃ lindo niño recibiste, mira no se te vaya, queda muy cariñoso de su dulce presencia, suspira por boluerle à recibir, y sino le conociste la primera vez, procura lograrle en las comuniones siguientes.

MEDITACION XXXVI.

Del combite de las bodas de Canà, aplicado à la comunion.

PVnto primero. Considera que si en otras bodas todo huele à pro-

à profandidades de mundo, en eſ
tas todo à puntualidades de cielo: atenta deuocion de deſpoſados, combidar al Saluador; para
que principios de virtud afiancẽ
progreſſos de felicidad: ni ſe olui-
daron de ſu Santiſsima Madre, q̃
fue aſſegurar eſtrella. Aſsiſtieron
tambien los Apoſtoles en gran
argumento de la generoſa caridad deſtos deſpoſados, pues fal-
tandoles ſu caudal para lo poſsible, les ſobra el animo para lo ge
neroſo. Gran diſpoſicion eſta pa
ra auer de hoſpedar à Ieſus, y ſen
tarle à ſu meſa, para merecer ſus
miſericordias, realçaſe mas el me
rito, quanto tenian menos expe-
riẽcia de las marauillas de Chriſ-

to;no le auiã visto aun obrar milagro alguno, pero merecierõ q̃ començasse. * Aduierte, que si has de hospedar oy en tu casa, y en tu pecho al mismo Iesus tu Señor,y todo tu remedio,esposo,y combidado à las bodas de tu alma , que es preciso disponerte con otras tantas virtudes como estas,y sea la primera vna viua fe, sigala vna ardiente caridad , con vna segura confiança, que le cõbide à obrar iguales marauillas.

P 2. Pero es mucho de cõsiderar,como falta el vinoàlo mejor del combite,yen èl la significada alegria,ordinario açar de los mũdanos placeres , desaparecer en vn momẽto, dexãdo con la miel

en

en los labios, y con la hiel en el
coraçō, y no hazē mas que brindar con el vino para llenar de ve-
neno: acuden desengañados estos de Cana, â procurar los gustos del cielo, q̃ son verdaderos, y
duraderos; ponen por mediane-
ra á la Madre, gran arbitrio para assegurar las misericordias de
su hijo; no se dize gastassen tiempo, ni palabras en representar su
necessidad a esta Señora, que como tan piadosa bastala el conocerla: acudieron ellos a Maria, y
Maria à Iesus, que es el orden del
diuino despacho. * Oy alma con
el mismo desengaño, y no menor
experiencia, acude en busca del
celestial consuelo, que la fuente
del

del, aqui mana en el Altar; y sobre ser el mejor vino, tiene la excelencia de perene, y aunque parece nueuo, es eterno. Dexa los falsos contentos de la tierra, antes q̃ ellos te ayan de dexar, mira que à lo mejor desaparecen, y solo Dios permanece, ellos no hartan, este diuino manjar es el que satisface.

P. 3 Compassiuo el Señor siẽpre, y aora obligado de la suplica de su Madre, dá tã presto principio à sus diuinas marauillas como á los humanos remedios, cõuierte el agua en vino; esto es los sinsabores de la tierra en consuelos del cielo: fue generoso el licor, como simbolo deste diuino

sa-

ſacramento, y don de tan genero-
roſa mano, que dadiuas de Dios
ſiempre fueron cumplidas; co-
miençan vnos, y otros á lograrle
y juntamente á celebrarle, ſin que
ſe deſperdicie vna gota; todos le
guſtan, y todos ſe marauillã, quedando muy ſatisfechos del combite con tan buen dexo. * Pondera quanto mas milagroſo fauor obra oy el Señor con los cõ-
bidados a ſu meſa, y quanto es
mas precioſo ſu ſabor, guſta, y
verás quanto mas regalado es eſte vino con q̃ oy te brinda, aquel
fue obra de ſu omnipotẽcia, eſte
de ſu infinito amor; alli para ſacar
aquel vino abrió el Señor ſu mano poderoſa, pero aqui raſgó ſu
pe-

pecho: alli llenaron primero las hidrias de agua: aqui has de llenar de lagrimas tu lecho: si tanto estimò la esposa el auerla introducido el Rey en la oficina de sus vinos, que son los diuinos consuelos; quanto mas deues tu oy reconocer el fauor de auerte frãqueado los peremnes manantiales de su sangre, llegad almas carissimas con sed, y bebed hasta embriagaros del diuino amor. y di tu con Architiclinos, ò quien huuiera logrado mucho antes esta mesa, ó quien huuiera frequentado desde el principio de su vida, y muchas vezes este diuinissimo Sacramento.

Γ.4. fueron efectos de tan excecelente vino, agradecidos afectos á su autor. Luego que supieron el prodigio, lo publicaron, mas los desposados, viendose tã impossibilitados al desempeño, como obligados del fauor, correspondieron con repetidos agradecimientos à Christo, y à los demas con aplausos, y con razõ, que vn tan generoso vino, q̃ produce lilios castos, deuia ser pregonado en la tierra, y en el cielo. Entre todos la inuentora de la pureza, diò las gracias por todos, recambiando los rayos de leche purissima, que ministró a su hijo, en la preciosidad de tã puros raudales que oy recibiò. Almas, suplicad à esta Señora, os ayude al de-

desempeño de tan auentajados fauores, en adelantados agradecimientos; que al mayor de los prodigios, en gracia y en fineza, no se cumple, sino cõ singulares alabanças: o si correspondiessen las gracias a la gracia! que si aquel fue el primero de las señales de Christo, este fue el sello de sus fineças, y el triunfo de su amor.

MEDITACION. XXXVII

Para recibir al Niño Iesus perdido, y hallado en el Altar.

PVnto primero. Meditarás, q̃ afligida se hallaria oy, tal madre, sin tal Hijo, tan desconsolalada,quan ſola:la miſma ſoledad duplica el ſentimiento,pues falta quien ha de ſer el conſuelo de todas las demas perdidas, no puede repoſar,que ſin Ieſus no ay cētro,no admite conſuelo, que no ay con que ſuplir faltas de Dios, dizen,que ojos q̄ no ven no quebrantan el coraçon;aqui ſi,porq̄ no vèn: fuentes ſon de agua ſus ojos,porque les falta ſu lumbre: arroja tiernos ſuſpiros , reclamos del auſēte Dios:conoce biē lo mucho que ha perdido , y aſsi pone tanta diligencia en buſcarlo * Pondera tu alma mia,que ſi el perder à Ieſus ſolo de viſta,cauſa tal ſentimiento en ſu Madre,q̄ dolor ſerà baſtāte al perderle de gra-

gracia: y quando no ſea tanta tu deſdicha, llora el auerſéte auſentado por tibieza: parte luego à buſcarle con alas de deſeos, llamale cõ ſuſpiros, cueſtete ſiquiera vna lagrima el hallarle, y ſino comió la Virgen, ni durmiò haſta hallarle, cometele tu en hallãdole, y duerme en ſanta contemplación.

P. 2. Sale là Virgen Madre en buſca de ſu Dios Hijo, tan deſeado, quan amadò, no le buſca como la eſpoſa en el lecho de ſu deſcanſò, ſino entre la mirra primera; gimiendo và la ſolitaria torto lilla en buſca de ſu bien auſente, ſu voz ſe ha oido en nüeſtra tierra, que llegò el tiempo de la mor

ti-

tificacion: valando và la candida cordera, preguntando por el corderito de Dios, que ya otra vez quiso tragarle Herodes lobo carnicero; pregunta à los parientes, y conocidos, que ellos deuieran saber dèl: acude al templo, y lo acierta, que es seguro auer de hallar vn buen hijo, en casa de su buen padre. * Aprende alma esta disciplina, y el modo de hallar à Dios, no le toparàs en el ruido de las calles, menos en el bullicio de las plaças, no entre mundanos amigos, ni parientes, sino en el templo, que es casa de oracion; sea la Iglesia tu centro, buscale en los sagrarios, q̃ alli le tiene encarcelado el amor; cuestente lagrimas los gozos, y penas los consuelos; llamale con suspiros, y lograràs sus fauores.

P. 2. Entra la Virgen en el Tẽplo, y descubre enmedio de los Dotores la sabiduria del padre; fue su contento desquite de su dolor, bienauenturados los que lloran, pues son tan consolados despues; enjugó lagrimas de la aurora el amanecido sol: serenòse aquel diluuio de llanto, al aparecer el arco de paz, que es grãde el gozo de hallar à Dios en quien le desea, al passo que le conoce Que abraços le daria? como le apretaria en su seno, diziendo cõ la esposa, hazecito de mir-

mirra fue mi amado quando per
dido, ya es manogito de flores
hallado, entre mis pechos perma
necerá. Tres dias le costó de hallar, y en ellos tres mil suspiros, lagrimas, y diligencias, oraciones, y dolores, para que esti-
masse mas el hallado tesoro. *
Aduierte alma, que no te cuesta
á ti tanto el hallar este Señor,
pues siempre qué quieres le tienes, siẽpre en el altar, mira que â
mano, y q̃ à boca, pero no querria que esta misma facilidad en
hallarle, fuesse ocasion de no estimarle, no digo ya perderle: recibele oy con los afectos, y ternuras q̃ su Santissima Madre,
solia en el tus labios, que no solo

se te permite que le adores, sino que le comas, no solo que le abraçes, sino q̃ te le tragues, guardale en tu pecho, y encierrale dẽtro dèl, repite con la esposa; manogito de mirra es mi amado para mi, entre mis pechos morarà ya del entẽdimiento, ya de la voluntad, aquel contemplandole, y inflamandose esta.

P. 4. Fue siempre la Virgen Madre tan agradecida, quan graciosa: bolueria á entonar á Dios otro cantico nueuo, por auerla buelto de nueuo su amado Iesus, vino en alas de vn coraçon afectuoso; bolueria en passos de vna garganta agradecida, celebrãdo las misericordias del Señor; congratutularse ya con los Angeles de dichosa, por auer hallado la gracia de las gracias, y la fuente de todas ellas. Como guardaria su niño Dios en adelante, nunca perdiendole de vista, preuiniendo cō agradecimientos los riesgos de boluerle à perder *O alma mia, tu que has hallado oy en el altar este mismo Señor, assistido de almas puras, alternadas con los Angeles, rodeado de sabios Cherubines, en vez de los Dotores; tu que te hallas con el Niño Dios dentro de tu pecho, que cāticos devrias entonar? que gracias rendir? conozcase en tu agradecimiēto la estimacion del hallazgo, no seas desagradecida, sino quieres ser desgraciada; mira no le pierdas otra vez, con riesgo de perderle para siempre; guardale dẽtro de tu coraçon, pues es todo tu tesoro; mira no abras puerta à las culpas, que te le robaràn.

COMVNION XXXVIII.

Del combite en que siruieron los Angeles al Señor en el desierto, aplicado al Sacramento.

PVnto primero. Considera como se retira Christo nuestro bien del bullicio del mundo, para vacar a su eterno Padre: ayuna quarenta dias, enseñandonos à hermanar la mortificacion, cõ la ora-

oracion, las dos alas para bolar al Reyno de Dios: lo que carece el cuerpo de comida, se sacia el espiritu de los diuinos consue-los. Pero que buena preparaciõ toda esta, de oraciõ, y ayuno, de-sierto, y cielo, aspereça, y contẽ-placion, para merecer el regalo, que le embia su eterno Padre, los Angeles le traen á los que como Angeles viuen. * Aprende alma lo que tu diuino Maestro, obrando te enseña; menester es dispo-nerte con esta preuencion de vir-tudes para sentarte a la mesa de sus delicias: huye de los hobres, para que te fauorezcan los Ange les; sea tu conuersacion en el cie lo, pues te alimentas del pan de allà, priuate de los manjares terrenos, y assi gustarás mas del celestial. Saca vn gran cariño al retiro, á la oracion, á la mortificacion, a la aspereza de vida, y lograràs con gusto este diuino bãquete.

P. 2. Pero no solo precediò el ayuno de tantos dias, al regalo del cielo, sino el auer conseguido tres ilustres vitorias, de los tres mayores enemigos, enseñandonos a vencer antes de comulgar, preceda la vitoria al triũfo, quede vencida la carne en sus comidas, el mundo en sus riquezas, y el demonio en sus soberuias: triũfe toda nuestra vida del deleyte del interès, y de la soberuia. No

ad-

admitió el Señor el falſo combi
te del demonio, y por eſſo logrò
el que le ſiruieron los Angeles, a-
quel le ofrecia piedras por pan, y
eſtos le preſentan pan por piedras. Sienteſe a la meſa del Rey,
el que venció Reyes.* Conſiderate oy combidado en el deſierto deſte mundo al pan del cielo,
a la meſa del Rey te has de ſen-
tar, mira ſi has vẽcido Reyes, los
vicios que en ti reinauan; no llegues con los yerros de cautiuo
à la meſa de la libertad de Hijo
de Dios. Quien ha de comer con
Dios, y al miſmo Dios, no ha de
llegar aito de las comidas del mũ
do, que no guſtarás del pã de los
Angeles, ſi llegas empachado de
las

las piedras de Satanás.

P. 3. Sintiò hambre como hõbre el hijo de Dios, pero el eterno Padre, q̃ embiò á su Profeta vn pan con vn cueruo, oy embia à su hijo muy amado la comida con sus alados ministros; q̃ manjar fuesse este, no se dize, quedese a tu contemplacion: lo cierto es que no faltaria pan donde interuenian Angeles, y que con vn hijo hambriento y tan amado, mucho se auentajaria este diuino Padre, al del Prodigo Pero por regalada que fuesse aquella comida de los Angeles, no llegaria. â la que oy te ofrece à ti el mismo Señor dellos, combidado te tiene, y el mismo se te dà en mãjar.

* Pon-

*Pondera con que gozo te ſentàras al lado del Señor en el deſierto, cõ que guſto comieras de aquel pan venido del cielo; pues auiua la fee, y entiende que aqui tienes el miſmo Señor, con él comes, y le comes, èl es el q̃ te combida, y el combite. O ſi le comieſſes tan hambriento, como lo eſtá el Señor de tu coraçon, mira q̃ es regalo del cielo, comele cõ apetito de allà; come como Angel, pues los Angeles te ſiruen, y te embidian.

P. 4. Dió el Señor gracias de hijo, al que ſe le auia moſtrado tan buẽ padre, eternas como a eterno, y cumplidas como à tã liberal: leuantaria los ojos como otras

tras vezes al cielo, y realzando los del alma, los fixaria en aquellas liberales manos de su padre: celebrando el querer con el poder: reconoceria el entẽdimiẽto estimaciones, y lograria la volũtad cõtinuos afectos. Entonaria hymnos, que prosegiriã los coros Angelicos, empleando todas sus fuerças, y potencias en agradecer el bien que todas auiã participado. * Imita, ó alma mia á este Señor en dar gracias, pues en recibir fauores, agradece al eterno Padre el auerte tratado como á hijo Que mucho resuenen canticos de alabança, en vna boca de quien el Verbo eterno fue manjar; regueldc tu coraçon
bue-

buena palabra, y hablē tus labios de la abundancia de tu coraçon, conozcase en todas tus potencias el vigor, que han cobrado con este diuino manjar.

MEDITACION XXXIX.

Para recibir al Señor con el triunfo de las palmas.

PVnto primero. Atiende como salen los humildes â recibir el humilde Iesus, los pobres al pobre, los niños al pequeño, y los mansos al cordero. Salen cō ramos de oliuo pronosticando la paz, y cō palmas la vitoria. No salen los ricos detenidos cō grillo llos de oro, no los soberuios que adoràn el idolo de su vanidad, ni los regalados, cuyo Dios es su vientre assi, que los humildes sõ los que se lleuan la palma, y aun el cielo: tienden las capas por el suelo, para que passe el Señor, q̃ de ordinario mas dàn à Dios en el pobre; los que menos tienen, y al mũdo los que mas. Colma el Señor su alabança de las vozes de los niños, que con la leche en los labios dizen la verdad, muy lexos de la lisonja; desuerte, que todo este triunfo de Christo, se compone de humildad, pobreza, inocencia, candidez, y verdad. * O tu alma, que has de recibir al mismo Señor en tu pecho, mira que

que sea con triunfo de virtudes, que no ay disposicion mas conueniente, que la humildad de los Apostoles, la llaneza de vna plebe, la mansedumbre de vn bruto, la inocencia de vnos niños, la pobreza de vnos pescadores, para la llaneza de vn humanado Dios.

P. 2. Quiẽ es este que entra cõ tan ruidoso sequito? preguntan los soberuios, y responden los humildes, que le conocẽ mejor: este es Iesus el de Nazaret: harto responden con dezir Saluador, y florido: pero respõda el real Profeta, y digã; este que viene sentado en vn jumentillo, es el entronizado sobre las plumas de los

Ce-

Cherubines: respōda la esposa, es te blanco con su inocencia, y colorado con su caridad, es el escogido entre millares. Diga Pablo, este que cortejan los pueblos, es el adorado de los coros Angelicos: hable Isaias, este que và rodeado de infantes, es el Dios de los exercitos. * Mas, ó tu alma pregunta, quien es este Señor, q̃ oy se entra por los senos de mi pecho, triūfando de mi coraçō? Oye como te responde la Fè; este que viene encerrado en vna hostia, es aquél inmenso Dios, q̃ no cabe en el vniuerso: este que viene baxo los velos de los accidē-tes, es el espejo en quien se mira el Padre: este que adoran tus potenrencias, es el que cortejã las aladas Gerarquias: si los pueblos sin conocerle assi le cortejan, si los niños le aclaman; tu que le conoces, con que aparato le deues recibir, con que pompa colocar en el trono de tu coraçon?

P. 3 Cõmueuese toda la Ciudad admirando vnos el triunfo, y festejandole otros: cõmueua se todo tu interior, el entendimiẽto admire, y la voluntad arda; llenese tu coraçon de gozo, y tus entrañas de ternura; dè vozes la lengua, y aplaudan las manos: si alli arrojan las capas por el suelo, tiendanse aqui las telas del coraçon, aquellos tremo ã palmas coronadas; leuanta tu palmas vitoriosas de tus rendidas passiones, ramos de la paz interior: dexan los infantes tiernos los pechos de sus madres, y con lẽguas balvuciẽtes festejã a su Criador, renuncia tu los pechos de tu madrastra la tierra, y emplea tus labios en cantar, diziendo: Bẽdito seais Rey mio, y Señor mio, que venis triunfando en nombre del Señor: seais tã bien llegado à mis entrañas, quã deseado de mi coraçõ, triũfad dè mi alma, y todas sus potencias, consagrandolas de oy mas a vuestro aplauso, y obsequio.

P. 4. Mas ay! que despues de tã aclamado Christo de todos, de ninguno fue recibido, nose hallò quien

quien le ofreciesse ni vn rincõ de su casa, ni vn bocado de su mesa: todo el aplauso paró en vozes, no llegó àlas obras. Desampararonle en la necessidad, los que le assistierõ en el triunfo; en vn instante no pareciò ni vn solo niño q̃ assi desaparecẽ en vn pũto los humanos fauores. Solo està el Señor en la casa de su Padre, que siempre està patente à sus hijos. * O que buena ocasion esta alma mia para llegar tu, y ofrecerle tu pobre morada: recibistele con aplauso, cortejale cõ perseuerancia ofrecele tu casa, q̃ como tan gran Rey el põdrà la comida, y te sentarà a su lado; y en vez de la leche de niño, que de-

dexaste, te brindarà con el vino de los varones fuertes, la boca q̃ se cerró à los deleites profanos, abrase á las alabanças diuinas: prosiga la lẽgua q̃ le come, en ensalçarle, y corresponda al gusto, el justo agradecimiento, no seas tu de aquellos, que oy le reciben con triunfo; y mañana le sacan à crucificar.

COMVNION XL.

Careasse la buena dispoſicion de Iuã y la mala de Iudas, en la cena del Señor.

PVnto primero. Meditaràs quã mal dispuesto llega Iudas á la sa-

ſagrada comunion, y quan bien preparado Iuan; infiel aquel, y traidor, reboluiole las entrañas la comida; amado Iuan, y fiel dicipulo, ſoſiegala en el pecho de ſu Maeſtro Ciego aquel de ſu codicia, trata vender el pan de los Angeles, à los demonios: atento Iuan, y cõ ojos de Aguila, le guarda, contemplandole en el mejor ſeno; trueca Iudas la comida, recambiando el mas diuino fauor, en el mas inhumano deſagradecimiento; repoſa Iuan recoſtado en el pecho de ſu Maeſtro.* Pondera, quantas vezes has llegado tu à la ſagrada comunion como Iudas, quã pocas como Iuã Que aficionado à los bienes terrenos,

que perdido por los viles deley-
tes? con la traicion en el cuerpo, de trocar por vn vil interes,
por vna infame vengança, por vn
ſucio deleite, la riqueza de los
cielos, el cordero de Dios, la alegria de los Angeles. Eſcarmien-
ta e.. adelante, y procura llegar,
no como Iudas aleuoſo, ſino cō-
mo Iuan eſtimador de los diuinos fauores, logrando dichas, y
gozando premios.

P. 2. Saliò Iudas la puerta afue
ra, en auiendo encerrado el cor
dero de Dios en ſus deſapiada-
das entrañas, trueca vn cielo por
vn infierno, no repoſa como Iuā,
que no ay deſcāſo en las culpas:
echo pues de dicipulo regalado
del

del Señor, adalid de sus contrarios, sale de entre los mayores amigos, y vase á los enemigos, tã á los estremos llega, el que cae de vn tan alto puesto. Que me quereis dar por aquel hõbre, les dize, que por bien poco os le venderè, dadme lo que quisieredes, y serà vuestro; y responderianle los enemigos, para lo que èl vale por qualquier precio es caro. * Pondera aora, el increible desprecio, que hazen los pecadores de Dios; que poco estiman lo q̃ mas vale, prefieren vn vil deleite, que ya es mucho vn Barrabas, y esto sucede cada dia. Imagina tu alma, que acercandote à Iudas, le dizes vendemele á mi traidor, que yo te le pagarè con el alma, y con la vida, yo te darè quanto ay, y quanto ſoy, porque es mi Dios, y todas mis coſas, yo conozco lo que vale, y quanto me importa. Comprale alma por qualquier precio, y comele como pã comprado, que es mas ſabroſo, ó como hurtado, que es mas dulce: Mas ay que no tienes que comprarle, que de valde ſe te dà; venid, y comprad ſin plata, el manjar que no tiene precio: pero mira que no le vendas tu a precio de tus guſtos, no bueluas al vomito de tus pecados.

P. 3 Carea aora la infinita bõdad del Saluador, con la mayor iniquidad de Iudas, ſu benignidad

dad, con la ingratitud, su mansedumbre, con la fiereça. Llega Iu
das al huerto, si antes de flores, ya
de espinas, hecho adalid de los
verdugos, y entre los malos el
peor, vase acercando à Christo
cõ el cuerpo, quando apartãdo-
se mas con el espiritu, y muy des
carado, sella en el diuino rostro
sus inmũdos labios: ó mal enplea
da mexilla, que desean mirar los
Angeles; no le huye el rostro,
quiẽ se le entregò ya en comida,
no le asquea la boca, quiẽ se depo
sito en sus entrañas; antes cõ el a-
grado de vn cordero le llama ami
go, bastará á enternecer vn diamã
te, y auia para humanar vn tigre:
mas, ó dureza de vn pecador obs
ti-

tinado! Amigo dize, á q̃ veniſte?
No ſupo ni tuuo que reſpõderle
Iudas.* Reſpõdele tu quãdo lle
gas á comulgar: aduierte como
te pregunta: amigo á que vienes,
à recibirme, ò á vẽ…e me? vienes
como el querido Iuã, o como el
traidor Iudas? Que le reſpondes
tu? q̃ te dize la conciencia? Conſidera que el miſmo Señor tienes
aqui en la hoſtia, q̃ alli en el huer
to; y no ſolo llegas a beſarle, ſino
à recibirle, y a comertele: mira
no llegues enemigo, ſino afectuo
ſo, no á prẽderle, ſino a apriſionar
le en tu coraçõ, no à echarle la ſo
ga al cuello, y à las manos, ſino las
vendas del amor. Saca llegar cõ
vna reuerencia amoroſa, y con
vn

vn gozo fiel â recibir, y lleuarte este mansissimo cordero.

P. 4. No dio gracias despues de la sagrada cena, el que comió sacrilegamente, como auia de ser agradecido vn fingido? vendiò el pan de los amigos, à sus mayores enemigos, que fue echarlo à los perros rabiosos; la margarita mas preciosa, á los mas inmũdos brutos: pero es de ponderar en que paró, el mismo se diò el castigo, siendo verdugo de su cuerpo, el q̃ lo fue de su alma. Sacò la muerte del pã de vida, echò aquellas impuras entrañas en castigo de su sacrilega comunion.

* Considera el primero q̃ comulgó indignamẽte, como fue castiga-

gado, pagôlo cō ambas vidas; sea pues su castigo tu escarmiento; procura ser agradecido, para ser perdonado: desañudese tu gargāta á las alabanças deuidas, no sea laço de suspension, labios que se sellaron en el carrillo de Christo con verdaderas señas de paz, despleguense en canticos de agradecida deuocio en el dia q̄ comulgas, no dès luego la puerta a fuera cō el Señor en el pecho, como Iudas: sosiegate en la contemplacion, como el dicipulo amado.

MEDITACION XLI.

Para comulgar, en algun passo de la sagrada passion.

PVnto primero Considera como Christo Señor nuestro en aque-

aquella memorable noche de su partida, cariñoso de quedarse cõ los hombres, y deseoso de perpetuar la memoria de su passiõ; halló modo para cumplir con su memoria, y con su afecto; eterniço, pues, su amor, y su dolor en este marauilloso Sacramento para que fuesse centro de sus fineças, y memorial de su passiõ. Encarga, pues, á todos los que le reciben, que renueuen la memoria de lo que nos amó, y juntamente de lo que padeció. * Llega, pues, ó tu que has de comulgar, y recibe á tu Dios, y Señor sacramentado, entre fineças, y dolores, gustale saçonado entre sus sinsabores, para tu mayor sabor, dulcis-

cissimo entre amarguras, entre
penas mas gustoso, y quanto por
ti mas enuilecido, tãto de ti mas
amado. Cõtẽplale en algũ passo
de su sagrada passion, y recibele
ya regãdo el huerto cõ su sãgre,
y tu alma con su gracia: ya pres-
so maniatado con las sogas crueles del odio, sobre los estrechos
lazos del amor; ya como flor del
campo ajada, sonroseado á bofetadas su diuino rostro, porque
campeẽ mas las rosas de sus me-
xillas, a par de las espinas de su
cabeça. Cõtẽplale tal vez amar
rado a vna columna, hecho vn
non plus vltra del amar, y pade-
cer: à abierto açotes su cuerpo, y
que mana vn tal diluuio de sangre

gre de la cruda tempestad de tus culpas; ya escarnecido de los hõbres, el deseado de los Angeles, empañado con sucias saliuas, el espejo sin mancilla, en quien se mira, y se cõplace su eterno Padre, ya lleuando sobre sus ombros el leño, qual otro Isaac la leña al sacrificio; finalmente leuãtado en vna Cruz con los braços siempre abiertos para el perdon, y clauados para el castigo; fixos los pies para esperarte á pie quedo, y inclinando la cabeça para llamarte continuamente. Deste modo quando comulgares harás comemoracion tierna, de su passion acerba, con tu compassion afectuosa.

P 2. Auiua pues tu fe, y leuanta tu contemplacion, que el mismo Dios, y Señor, real y verdaderamente, que estaua alli padeciendo en aquel passo, que meditas, él mismo en persona está aqui en el Sacramento que recibes, el mismo Iesus tu bien, que estaua en el caluario, le encierras en tu pecho. Considera, pues, si te hallaras alli presente con la fe, que aora tienes, con el conocimiento que alcanças, en la ocasion, q̃ meditas, en el passo, que cõtemplas, con que afecto te llegàras à tu Señor, aunque fuera rompiendo por medio de aquellos inhumanos verdugos; con que ternura le hablaras? que razones le dixexeras?como le abraçáras? como te compadecieras de lo que padecia èl,y por ti? acogierasle en tu regaço,y te le lleuáras hurtãdole à la fiereça delos tormẽtos; y restituyendole al descanso de tus entrañas. * O alma, pues sabes como lo crees, que este Señor es el mismo que aquel, haz aqui lo mismo que alli hizieras; mira q̃ aun llegas à tiempo Imagina quando comulgas, que llegas al huerto, y que le enjugas el copioso sudor sangriento, con las telas de tu coraçon, que te acercas á la columna, y le desátas para enlaçarle en tus braços, y curarle las heridas, poniendo en cáda vna vn pedaço de tu coraçon: haz cuenta que le aprietas en tu ſeno coronado, aunq̃ te eſpines, y que le ſiẽtas en el trono de tu pecho, que le trasladas de los braços de la cruz, donde con tanto afan pende, a tus entrañas dõde deſcanſe. Comulga vna vez en el huerto, y otra en la columna, oy en la calle de la amargura, y mañana en el caluario, auiuando con la fe tu deuocion.

P. 3. O quanto huuieras apreciado, el auer aſsiſtido à todos aquellos laſtimeros trances de tu redencion! O como huuieras logrado tu dicha, aũque penoſa, de auerte hallado preſente en todas aquellas ocaſiones; en que padecia el Señor! O quien ſe huuiera ha-

hallado, repites muchas vezes cõ el afecto que aora tẽgo en aquellos doloridos passos de la passion. Pues aduierte, que no llegas tarde, aun vienes â sazõ; aqui tienes el mismo Señor q̃ alli sufria, y sino padeciẽdo los dolores, representandolos para q̃ tu te cõpadezcas: y si alli quando le vieras con la vestidura blãca, llamãdole todos el amẽte, tu dixeras, no es sino mi amante; y quando al pie de la colũna caydo, rebolcandose en la balsa de su sangre, alargàras tus dos manos para ayudarle à leuantar, quãdo los demàs á caer: si oyeras dezir al Presidente en vn balcon: he aqui el hombre, gritaras tu diziẽdo; mi bien es,mi eſpoſo,mi amado,mi criador,y Señor,y quando nadie le queria,y todos le trocauã por Barrabas,tu exclamàras,y dixèras,yo le quiero,yo le deſeo,dad mele à mi,que mio es,mi Dios,y todas mis coſas.* Pondera, que ſi eſto hizieras entõces,y aſsi eſtimàras tu ſuerte : logra,y agradece oy auer llegado à la ſagrada comunion;que ſi entõces dieras gracias por auerle recibido laſtimado entre tus braços, rindelas mayores de auerle metido dẽtro de tu pecho ſacramentado,ſi tuuieras a gran fauor llegar feruoroſo a adorar aquellas llagas, reconocelo auentajado en auer llegado a comertelas , eſtima ya que

que no auer acogido en tus braços aquel hazecito de mirra; si de medio à medio en tus entrañas, no solo apegado al pecho, sino dentro dèl, y muy vnido con tu coraçõ. Deste modo puedes llegar à comulgar, recibiẽdo al Señor, vn dia en vn passo de la passion, y otro dia en el otro; ya preso, ya açotado, escupido, coronado, escarnecido, clauado, aleado, muerto, y sepulrado en el sepulcro nueuo de tu pecho.

MEDITACION XLII.

Para comulgar con la licencia de Santo Tomas, de tocar el costado de Christo.

Punto primero. Aduierte comomo este Apostol, por su singulari dad, perdiò el fauor diuino, hecho a toda la comunidad, q quiē se aparta de la compañia de los buenos, suele quedarse muy á solas; entiuióse en la fe, y resfriose en la caridad: passò luego de tibio à incredulo, que quien no sube de virtud en virtud, vá luego rodādo de culpa en culpa: cegò Thomas en el alma, porq̃ no vió el sol resucitado entre los arreboles de sus vistosas llagas. Nególas en su Maestro, y abriòlas en si mismo; buscaua consuelo á su corta dicha, en su corta fe de no auergozado dela visita del Señor en la obstinaciō de negarle resucitado. Que mala disposicion esta para obligar à Christo, repita sus fauores; poco lisongea las llagas quien assi renueua los dolores, no aduirtiendo que mas las abre, quanto mas las niega. * O alma mia, como q̃ compite con la de Thomas tu tibieça, y ojalà no la excediesse; que mala preparaciõ la tuya para merecer oy la visita del Señor; si alli resucitado, aqui sacramẽtado: quãdo los demas gozan de los frutos de la paz, tu te quedas en la guerra del espiritu, auiua tu fe, aliẽta tu esperança, enciẽde la caridad en la feruorosa oracion.

P. 2 Cõpassiuo el Señor, si incredulo Tomas, al cabo de ocho dias de prueua, para purificar sus

deseos, dignase de fauorecerle en compañia ya de sus hermanos; q̃ poco importa estèn cerradas las puertas del cenaculo, quando las de sus llagas están tan abiertas, y su costado de par en par. Metese enmedio de los Apostoles, como centro dōde han de ir a parar sus coraçones, fixò los ojos en Tomas, que fue abrirle los del alma, mandale q̃ se acerque, pues por estar tan lexos de su diuino calor tenia tan elado su espiritu; dizele alargue su mano, señal que no le auia dexado del todo de la suya, mete el dedo, le insta, en este costado, y haz la prueua hasta llegar al coraçon, que èl con su fuego desharà el yelo de tu tibieça. Pō
dera

dera la gran misericordia del Redemptor, q̃ por saluar vn alma recibiera de nueuo las heridas, y oy por curar vn Apostol, las renueua; á Tomas elado las franquea, quando á la Madalena feruorosa las retira, q̃ son para los flacos las blanduras, quando para los fuertes las prueuas. * Aduierte alma, que al mismo Christo gloriosamente llagado tienes dentro de esta hostia, oye lo q̃ te dize, acercate à mi, recibeme, y tocame, no ya cõ los dedos, sino cõ tus labios, no cõ la mano grosera, sino cõ tu lengua cortès, cõ tu coraçon amartelado, prueue tu paladar à q̃ saben estas llagas, pega essos labios sedientos à la fuen-

fuente de este costado abierto, a-
paguesse la sed de tus deseos en
este manãtial de consuelos. Auiua tu fe, y estima tu dicha, que si
Tomas llegò à meter el dedo en
el costado del Señor, aqui todo
Christo se mete dentro de tu pecho, no pierdas ocasiõ, tocale to
das sus llagas, estimando tan a-
uentajados fauores.

P. 3 En tocando Tomas la pie
dra, Christo cõ el yerro de su in-
credulidad saltó fuego al coraçon, y luz à los ojos: abrió los del
cuerpo para ver las llagas, y los
del alma para confessar la diuinidad: viendo á Christo hecho llagas por su remedio, él se haze bo
cas en su confession, y exclamã-
do

do dize: Señor mio, y Dios mio, yo me rindo, conquistado me aueis el coraçon con vuestras heridas, y digo que vos sois mi Señor, mi Dios, mi Rey, mi bien, y todo mi cõtento: Dios mio, y todas mis cosas, que en vos se encierra todo * Pondera aora, q̃ si Tomas cõ solo tocar la llaga del costado del Señor, quedò contento, mudado, y feruoroso; tu q̃ le has tocado todo, quãdo le has recibido, que feruoroso, y quan trocado avrias de quedar, todo metido en Dios, pues todo Dios metido en ti; cõfiessale por tu Señor, tu Dios, tu Criador, tu Redẽtor, tu principio, medio, y fin, todo tu biẽn, y vnico centro de tus deseos.

P.4. Que de buen gusto, y que de vezes, boluiera Tomas a gozar de aquellas vistosas llagas si le fuera concedido: que sediẽto repitiera aquellas perenes fuentes del consuelo, y del amor *Alma este singular fauor para ti se guarda, frequenta esta sagrada comunion oy, y mañana, y cada dia te està esperãdo el Señor, assi quieras ser dichosa, como puedes. Quedó Thomas singularmente agradecido á tã singular misericordia; ya el que contradezia á todos incredulo, cõfiessa con todos fiel, pideles le ayuden a agradecer, como antes á creer: propone de confessar hasta morir aũ que sea con tantas heridas, como ha ha adorado llagas. Procura tu ſer agradecido cõ Tomas, y tu mas quanto mas obligado, hazte bo cas en alabarle, aſsi como en recibirle, y à vn Señor q̃ te ha abierto ſu coſtado, y ſus entrañas de par en par, deſpiega tu eſſos labios, ſalga tu coraçon deshecho ya por la boca en aplauſos, ya por los ojos en ternuras.

MEDITACION XLIII.

Del combite de los dos diſcipulos de Emaus, para recibir al Señor como peregrino.

PVnto primero. Contẽplaràs, como eſtos dos dicipulos, aũque

que dudosamente congregados en el nombre del Señor, luego se tienē enmedio; q̃ la conuersaciō de Dios es el reclamo que le trae: iban hablãdo de su pasion, y asi luego le tiraron à su cōuersaciō, la musica mas suaue, que le puedē dar las zitaras del cielo: que mal dispuestos los halla, para comunicarles su fauores, muy alejados de si, pero el Señor cōpadecido se les acerca, ellos huyen, y èl los busca; miralos resfriados en la fe, descaecidos en la esperança, tibios en la caridad, pero con sus palabras de vida les và calētãdo los coraçones, alentãdoles su desconfiança, o infundiendoles nueua vida. * Aduierte alma, que el mis-

mismo Señor encuentras oy en el camino de tu muerta vida, si alli peregrino, aqui milagroso; si alli cõ el disfraz de vna esclauina aqui de los accidẽtes de pã; si alli de passo, aqui de assiẽto: que desalentada procedes en el camino de la virtud: que tibia en el seruicio de Dios; llegate, pues à este Señor en la oracion, para q̃ a los golpes de sus inspiraciones se encienda en tu pecho el fuego de la deuocion: habla de Dios, el dia, que cõ Dios, boca que ha de hospedar à Iesus, no ha de tomar en si otra cosa; no hable palabra q̃ no sea de Dios, la que ha de recibir la palabra diuina, y con saliua virgen llegue á gustar el pan, y vi-

vino, que engendran virgines.

P. 2. Vâse acercando al castillo de Emaus, termino de su fuga, haze el Señor amago de passar adelante, quando mas gusta quedar, quiere que à deseos le detengan, y con ruegos le obliguen: el que se introduxo á los principios voluntario, quiere ser rogado en los progressos de la virtud, como la madre que empeña al niño en el andar dexandole solo, para q̃ pierda el miedo: viendole ellos tan humano, quãdo mas diuino, pidenle se detenga, no le combidan al vso del mundo por cumplir, sino con instancias para alcançar: respondeles que ha de ir lexos, que en apartandose de vn al-

alma, mucho se alexa, la distãcia que ay de la culpa á Dios. *Alerta alma, que passa el diuino esposo â otras mas dichosas, porque mas feruorosas, menester es rogarle, lo que importa el detenerle. Si estos discipulos sin conocerle assi le estiman, tu que sabes quien es por la fe, procura agasajarle; ellos le imaginan estraño, tu le conoces propio, ruegale que entre, no solo contigo baxo vn techo, sino dẽtro de tu mismo pecho: combidale, que al cabo será todo a costa suya, pues èl pondrà la comida, y tu las ganas, logrando vida eterna.

P 3 Facilmente condescẽdió el Señor, que tiene sus delicias en eſtar con los hijos delos hõbres: ſientanſe a la meſa, y Chriſto enmedio, igualandolos en el gozo, y en el fauor; ponēle el pan en las manos, con grande acierto, pues ſiempre ſe logró en ellas: leuantaria los ojos al cielo, para que fueſſe pan con ojos, y diuinos, y al partir dèl, ellos abrieron los ſuyos, y le conocieron Maeſtro: mas al miſmo punto deſaparecìó, que es en eſta vida relampago, el que en la eterna ſol, de luz, y de conſuelo: dexòlos cõ la dulçura en los labios, quedando el milagroſo pan por ſubſtituto en ſu auſencia: dexòlos embidioſos de la dicha de auerle conocido antes, y deſeoſos de auerle gozado,

do,y adoradole sus gloriosas llagas, apretadole aquellos pies: ò
que abraços se prometian auerle dado, si le huuieran conocido.
*Aduierte que el mismo Señor,
real y verdaderamente tienes tu
aqui en la mesa del altar, partiē-
do está, y repartiendo el pan del
cielo, no tardes en reconocer tu
dicha, que quando recuerdes, serà tarde, y quedarás apesarado
de no auerla logrado antes llega
te al Señor, q̃ no se te irá como à
los discipulos, porque le tiene el
amor aprisionado goza de su diuina, y corporal presencia, adora
aquellos traspassados pies, besa
aquellas gloriosamente hermo-
sas llagas: á ti te espera, por ti se

detiene, tiempo, y lugar te dà,
para que le contemples, y le a-
mes, y le comas.

P. 4. Quedaron ambos dicipulos entre penados, y goziosos alternando su dicha de auer visto à
su Maestro, con el sentimiẽto de
auerle tan presto perdido, antes
ido, dezian, que conocido; ponderauan con estimacion el fauor
que les auia hecho, y repetiã las
liciones q̃ les auia enseñado; ar-
dieron sus coraçones en amor al
ir, y las lenguas en el agradecimiento al boluer; bolueriàn à re-
ferir con formales palabras lo q̃
les auia dicho, y ponderauan su
eficacia, y sus acciones; sobre todo el celestial agrado de su sem-
blan-

blante: dauanse el vno al otro las norabuenas de su dicha, y al Señor las gracias de su misericordia: no acertarian a hablar de otro por muchos dias, y aun por el mismo camino irian reconociendo las guellas de su Maestro, siguiendo las de su santa ley. Boluieron á donde estauan los Apostoles, dieronles parte de su dicha, y renouaron su fruicion. * Aprende alma à dar gracias à tu diuino Maestro, el dia que te sientas á su mesa, abre tus labios á las alabanças, assi como los ojos al conocimiento, mira que no le deuias á tu tibieza la dicha de auerle conocido antes, no aurias de hablar de otro en muchos dias, yendo, y viniendo tu lengua al ſabor de tu muela, al guſto de tu paladar.

COMVNION XLIV.

Para recibir al Señor con la Madalena, como a hortelano de tu alma.

PVnto primero. Meditarás q̃ anſioſa madruga la Madalena en buſca de vn ſol eclipſado, apoderòſe della el amor, y aſsi no la dexa repoſar, fuera eſtà de ſi, y toda en ſu Ieſus amado, que no eſtà donde anima, ſino dõde ama: dexa preſto el lecho la mas diligẽte eſpoſa, pero q̃ mucho ſe le impida el dormir, à quien no ſe le.

le permite el viuir : no se quieta en ninguna criatura, fuera del cẽtro de su criador; mas ay que no viue quiẽ tiene muerta su vida, q̃ no se dixo por ella, à muertos, y á idos no ay amor; y finezas de quien biẽ ama, mas allà passan de la muerte, herida del diuino amor, y muerta del dolor, se và ella masma à enterrar, en el sepulcro de su amado. * Pondera que buena preparaciõ esta de oraciones, y vigilias, de lagrimas, y suspiros para hallar vn Señor que muriò de amores, y viue de finezas. Madruga oy alma diligente, en busca del mismo Señor, que alli ensayò sus finezas, para amarte, y fauorecerte à ti; no le busques cubierto de vna losa, sino de vna hostia; no entre sudarios de muerte, sino entre accidẽtes de vida; llora tus errores, y suspira por sus fauores, y conseguiràs el premio de tus deseos.

P. 2. Atraido el Señor, no ya de los yerros de vna pecadora, sino del oro de vn amante, se le franquea, pagando en fauores tan estremadas finezas, muestrasele en trage de hortelano, por lo q̃ tiene de Iesus florido, pretende coger los frutos en virtudes, de aquellas flores en deseos: preguntala porque llora, y à quien busca, quien tambien sabe que èl es la causa, pero tiene gloria en oirla relatar su pena. Responde ella, co-

como de cosa sabida, que todos cree piensan en lo que ella; y no se engaña, porque enque otra cosa se puede pensar, q̃ en Dios, ni hablar de otro q̃ de Dios? no dize q̃ busca vn muerto, que aun pensarlo es morir: restituyemele, dize, y no te espantes de que no tema, que si me faltã las fuerças, el animo me sobra; no ay horror donde ay amor: dilata el Señor el descubrirse, por oirla multiplicar deseos. * Alma, aduiette, que aqui tienes el mismo Señor, hortelano de las almas, que las riega cõ su sangre; aqui assiste disfraçado entre acidẽtes de pã, escuchãdo tus amorosas fineças; pero si el amor le dissimula, des-
cu-

cubrale tu fe, y si la Madalena intentò lleuarsele amortajado, lleuatele tu sacramentado.

P. 3. Gozoso el diuino hortelano Nazareno, de auerla visto regar cõ las fuentes de sus ojos, segũda vez sus plãtas viẽdo aljofaradas las rosas de sus llagas, con las perlas de tã copioso llãto, manifiestasele, nombrandola por su nombre: Maria dize, y ella al pũto como oueja, no ya perdida, reconoce la voz de su bien hallado pastor: nombròla con tal agrado, que pudo conocer su grã misericordia: arrojosele afectuosa â sus pies, sabido centro de su propension, y si ya otra vez cayò cõ el peso de sus culpas, estâ con el de-

de su amor: calose como solicita auejuela á la fragrancia q̃ despedian sus floridas llagas, pero detuuola el Señor, diziendo, no te acerques, no me toques, que aun no he subido à mi Padre, quedēse para ti las penas, reseruense para mi Padre las glorias, para ti las espinas, para èl las fragrantes rosas. * O alma mia, reconoce aqui tu dicha, y procurala estimar pues no solo no te manda este Señor, q̃ te retires recatada, sino q̃ te acerques afectuosa; quãdo à la Madalena recata sus llagas, á ti te cōbida con ellas, no solo para que las toques, sino para que te las comas: oye que te llama por tu nombre con tales demonstraciociones de agrado, que te atraiga su bondad, si te retira su grandeza, no pierdas la saçon de comulgar, que embidiaràs toda la eternidad: arrojate á aquellos pies, aprieta aquellas floridas llagas, y brotaràn en vez de sangre miel dulcissima que comas, nectar celestial que chucpes, y con que te apacientes.

P.4. Passò de fauorecida a agradecida la Madalena, y no cabiendole el cõtento en el pecho, parte à comunicarseles á los Apostoles, deseando la ayuden à dar gracias, y a gozar de los fauores; congratulase con ellos, no de vna sola dragma hallada, sino de cinco, y tan preciosas, que vale cada da vna vn cielo: ni se contentaria con esto, sino que cõbidaria los coros celestiales, para que cõ sus auentajadas lenguas, la ayudassẽ á adelantar las diuinas alabãças; mereciendo oir toda la vida sus agradecidos cantares. * Pondera, que si la Madalena por vna vez que llegò á ver, qũe aun no a tocar aquellas gloriosas llagas, á mirarlas, q̃ no à besarlas, todos los años de su vida, dia por dia, entre los alados coros, celebra esta dicha; tu alma mia, que no vna sola vez, sino tãtas, y en tãtos años dia por dia, prosigues en recibir todo el Señor, no solo en besar sus llagas, sino comertelas, como deues repetir cada hora, y cada ins-

inſtante las deuidas gracias. Empleenſe à coros todas tus potencias, en engrãdecer, y agradecer tan ſingulares fauores: reboſen tus labios en alabança de eſtas llagas la dulçura que chupò tu coraçon.

MEDITACION XLV.

Para recibir al Señor como Rey, Eſpoſo, Medico, Capitan, Iuez, Paſtor, y Maeſtro.

Eſtas ſiete Meditaciones, que aqui ván juntas, ſolia repartir el B. P. Franciſco de Borja, quãdo Sacerdote, por los ſiete dias de la ſemana cada dia vna, y aſsi las podràs tu platicar tambien; y quan-

quando no era aun Sacerdote, comulgaua los Domingos, tomandolos tres dias antes para prepararse, y los tres dias despues, para dar gracias, y sacar frutos.

Punto 1. Meditarás quando recibieres al Señor como à Rey, quan gran aparato preuinieras, si huuieras de hospedar en tu casa al Rey del suelo, pues quãto mayor preparacion deues hazer para recibir el del cielo, no ya en tu casa, sino dentro de tu pecho? Y si como à Esposo diuino, trata de engalanar tu alma, con la vizarria de la gracia, y con las preciosas joyas de las virtudes. Si como á Medico, deseandole con tanta ansia, como tienes necessidad,

dad, despiertē tus dolores el deseo, q̃ ya èl padeciò por ti, y bebio la purga amarga de la hiel, y vinagre, para sanarte de los graues males que te causarō tus deleites. Si Capitan, quando toda tu vida es milicia, alistate baxo sus vanderas, llamale en tu socorro, viendote sitiado de tan crueles enemigos. Si como Iuez, aparta de tu coraço toda culpa, q̃ pueda causar ofensiō à la rectitud de sus diuinos ojos. Si Pastor, llamale con validos de suspiros, ya para que te saque de las gargantas del lobo infernal, ya para que te apacientè en los amenos pastos, que regò cō su misma sangre. Si Maestro, reconociēdo primero tus

tus ignorancias, y suplicandole, que pues es sabiduria infinita, te enseñe aquella gran licion de conocerle, amarle, y seruirle. Esta sea la preparaciõ en cada vna de estas siete Meditaciones.

P. 2. Aduierte q̃ se và acercãdo este soberano Rey á las puertas de tu pecho, que son tus labios, viene con benignidad, salgale á recibir tu alma con grandeza, pidele mercedes, que quien se dá à si mismo, nada querrà negarte: ya llega el vnico amãte de tu alma, salga pues à recibirle en sus entrañas, entre afectos, y fineças: ya sube el Medico diuino, que es la salud, y la medicina, la alegria de los enfermos, y el pade-

deció primero los dolores; repre-
sentaselos vno por vno, y pidele
el remedio de todos. Arrimase
ya el valiēte capitā á tu pecho, en
tregale el castillo de tu alma, no
te hagas fuerte en tus flaquezas:
ya te toma residencia el riguroso Iuez, echate à sus pies confessando con humildad tus graues
culpas, y cōseguirás el perdon de
ellas: ya te viene buscādo el buē
Pastor, oye sus misericordiosos
silbos, siguele con cariño, y toma
de su mano el pan del cielo: ya se
sienta en la catedra de tu coraçon el diuino Maestro, escuchale
con atencion, y apassionate por
su verdadera dotrina.

P. 3. Logra el fauor que te haze:

ze este gran Monarca, mira q̃ es tan dadiuoso, como poderoso, sabele pedir, a quien te desea dar, q̃ èl puede darte, y quiere. Estrechate alma cõ tu enamorado esposo, y pues èl te abrió sus entrañas, recibele en las tuyas, muchas heridas le cuestas, sacaràs por sus llagas sus fineças: llamale tu vida, pues la perdiò por quererte. Aplica los remedios que te trae este gran Medico, quãdo haze de su propia carne, y sangre medicina; èl se sangró por tu salud, y muriò por darte á ti la vida: sigue tu capitã, que èl vá delante en todas las peleas, ni te faltarà el pan, pues èl se te dá en comida, pelea con valor, que el recibirá por ti las heridas,no desampares ſu eſtandarte,haſta cõſeguir la vitoria. Eſcucha alma,y inclina tu oreja a tan ſabio Maeſtro,que es la ſabiduria del Padre, en comida ſe te dâ,para q̃ aprendas mejor, como al niño que le dàn las letras de açucar, para q̃ con guſto las aprenda; entrarán con ſangre pero no tuya,ſino del miſmo Maeſtro,que èl lleuó los açotes, por la licion que tu no ſupiſte. Que deſcargos le dàs â vn tan miſericordioſo Iuez, que quiſo ſer ſentẽciado por tus culpas, y el que no hizo pecado, ni ſe halló engaño en ſu boca,ſatiſfizo por tu malicia, pidele miſericordia, y propon vna gran enmienmienda, no te confiscarà los bienes, antes para que tengas q comer, èl se te dà en comida. Iuntate al rebaño de tu buen Pastor, que es juntamente tu pasto regalado; èl se expuso por ti à los lobos carniçeros, que se cebaron en su sangre, hasta no dexarle vna gota, señal que no es mercenario; en sus mismas entrañas te apacienta, y en sus ombros te cõduce al aprisco de su cielo.

P 4. Corresponde agradecido â vn Rey tan generoso, y queden vinculadas las mercedes en eternas obligaciones de seruirle Logra en agrados los fauores de tu esposo, y procura guardarle lealtad, que te và no menos q̃ la vi-

da,y essa eterna. Paga en agrade
cimiẽtos tan costosos remedios,
y guarda la boca de tus gustos,
para emplearla en sus loores Oiga el mayoral del cielo los validos de tu contento en alabãças,
y tu Capitan los aplausos de su
triunfo. Resuenen los vitores à
tu sabio Maestro,y sea la mayor
recomendacion de su dotrina el
platicarla en tu prouecho. Presentale al benigno Iuez tu alado
coraçon,tan agradecido a su misericordia, quan contrito de tu
miseria,reconoce que viues por
él,y que de fauor suyo no estàs
ardiendo hecho tizon eterno
del infierno.

ME-

MEDITACION XLVI.

Para recibir al Señor como à tu Criador, Redentor, Glorificador, y vnico bienhechor tuyo.

PVnto primero. Considera el que recibió todo su bien de otro, con que agassajo le recibe, quando se le entra por su casa; pone á sus pies quāto tiene, porq̃ sabe le vino de su mano, todo le parecepoco, respeto delomucho q̃ le deue, no le pesa de q̃ no sea mas lo recibido, sino porque no le puede seruir con mas; confiessale por su bienhechor, porq̃ le hizo persona, y pone sobre su cabeça al que le leuantó del poluo de la tierra. * O tu q̃ comulgas, quien es este Señor que oy hospedas en tu pecho, mira si le deues quanto eres? El te sacò de la nada, para ser mucho, pues te hizo: no le recibes en casa agena, q̃ èl la edifico con sus manos; èl te dà la vida, empleala en seruirle; él te dà el alma, emplealaen amarle; recibele como à tu vnico biẽhechor; abre los ojos de la fe, y verás en esta hostia el Señor que te ha criado; metele en tu pecho por mil titulos deuido, ponle en tus entrañas, pues son suyas, conozca tu entendimiento cuyo es, y ame la voluntad vn fin, que es su principio. Sobre todo confunfundase tu coraçon de auer conuertido en instrumentos de su ofensa, los que ya fueron dones de su liberalidad, fauores de su infinita beneficencia.

Pun. 2. Poco es ya dar la vida à vno, mucho si darla por èl, morir para que èl viua, y aun esto es poco; el estremo de vn bienhechor, llega á morir por el mismo que le mata: redimir â quien le vēde, y rescatar â quien le cōpra; viose tal estremo de amar? solo pudo caber en vn Dios enamorado. * Hombre, por ti murió, que tāto le has ofendido, el Señor por vn vil esclauo de Satanás; mira que estremos estos, Dios, y morir, vida, y muerte, y por ti vn despre-

cia-

ciable guſano! permitió ſer injuriado por honrarte, fue eſcupi-
do, para que tu labado, fue repu-
tado por ladron, el que dà el paraiſo a los ladrones; y ſe te dà à
ſi miſmo en el Sacramento: todo
lo quiſo perder por ganarte à ti,
hazienda, vida, honra, haſta morir deſnudo en vn palo Bien pudiera eſte diuino amãte de tu alma, auer buſcado otro medio pa
ra tu remedio, pero eſcogió el
mas coſtoſo, para moſtrar ſu ma
yor amor; no quiſo ſe dixeſſe de
ſu fineça, que podia auer ſido ma
yor, que pudo auer hecho mas.
Viòſe deſamparado de ſu padre,
por no deſamparar vna deſagra-
decida villana, de quien ſe auia
ena-

enamorado. Recibele pues en eſ
ta comunion de oy, como à Redentor de tu alma, como á Salua
dor de tu vida, ofrecele quanto
tienes, hazienda, honra, y vida, à
quien la dió primero por ti; hoſ-
peda en tu pecho al que abrió ſu
coſtado para meterte en èl: llene
tu boca de ſu precioſa ſangre, el
que no alcançò vna gota de agua
en ſu grã ſed; endulce tus labios
cõ ſu cuerpo, el que ſintió aeleada ſu boca con hiel; y pues no
omitió el Señor coſa alguna, q̃
pudiera auer hecho por ti, no de
xes tu coſa que puedas hazer en
ſu ſanto ſeruicio.

Pun. 3. Recibele ya como a tu
eterno Glorificador, que ſerá he
char

char el ſello á todas ſus miſericordias, y coronarte de miſera-
ciones. Gran fauor fue el criar-
te de la nada, mayor el redimir-
te cō quanto tenia; auerte hecho
catolico Chriſtiano, quādo puſo
á otros entre infieles, q̄ le huuie-
rā ſeruido arto mejor, ſi le huuie
ran conocido; el auerte ſufrido
tan pecador, quando otros con
menos culpas eſtàn hechos tizo-
nes de las eternas llamas: auerte
juſtificado, y alimentado con ſu
cuerpo, y ſangre: grandes ſon todos eſtos fauores, dignos de todo
agradecimiento, y conocimiento; pero el q̄ los corona todos, es
el auerte predeſtinado para ſu
gloria, como lo crees, y que te
ha

ha de glorificar como lo esperas, recibele pues como à tu vltimo fin, que èl es tu Alfa, y tu Omega, èl es paradero de tus peregrinaciones, descanso de tus trabajos, puerto de tu saluacion, y centro de tu felicidad. Auiua tu fe, que el mismo que has de ver y gozar enel cielo, esse mismo Señor, real y verdaderamente tienes encerrado en tu pecho, como prenda de la gloria.

P 4. Llamase este diuinissimo Sacramẽto Eucaristia, que quiere dezir buena gracia, porq̃ siendo gracia infinita, q̃ el Señor nos haze, solicita el perpetuo agradecimiento, en el que comulga, no ay otro retorno al recibirle vna

vez,

vez, ſino boluerle á recibir otra, q̃ eſta es la mayor accion de gracias, ni ay otro deſempeño de tã tas mercedes, como dignamẽte recibirle, y comulgar, caliz por caliz, y pagar los votos al Señor, en publicos aplauſos, delante todo ſu pueblo, y no queda ya ſino vna precioſa muerte en el Señor deſpues de auerle recibido, que es gran modo de agradecer vn gran don de Dios, recibiendo otro. Anegado te hallas en beneficios, anegate pues en ſu ſangre, agradeceràs como deues, ſi amas como conoces Deſta ſuerte podràs comulgar varias vezes, recibiendo vn dia al Señor, como á tu Criador, y otro como tu Redendentor, si oy como justificador, mañana como tu Glorificador.

COMVNION XLVII.

Para comulgar en todas las festiuidades del Señor.

PVnto primero. Pōdera quam gran dicha huuiera sido la tuya, si te huuieras hallado presente con la fe q̃ alcanças, al misterio que meditas? Con que deuocion te preparáras, y con que gozo asistieras. Porque si te despertàra el Angel aquella noche alegre del nacimiento, con que diligencia te leuantáras, cō que afecto acudieras á gozar del niño, ño Dios nacido?como lograras la ocasion de verle, y contemplarle faxado entre pañales, al que no cabe en los cielos, recostado entre pajas, al que entre plumas de Cherubines, llorando la alegria de los Angeles; y en el dia de la Circũcision, como acõpañaras con tus lagrimas las gotas de su sangre? con que consuelo gozáras de aquel rato de cielo en el Tabor? como madrugáras la mañana de la Resurrecciõ, en compañia de la virginal aljofarada aurora, à ver salir aquel glorioso sol entre los alegres arreboles de sus llagas. Con quã deuota pureza te preuinieras para subir al mõte el dia de la triũfante Ascẽsion del Señor, y como se te lleuára el coraçon tras si al cẽtro celestial; con que fruiciõ lográras todas estas ocasiones; con que feruor assistieras a todos estos misterios? Pues auiua tu fe, y entiende, que el mismo Señor, real y verdaderamente, que alli vieras, y gozáras; el mismo en persona le tienes aqui en este diuinissimo Sacramento; y si alli en vn pesebre, aqui en el altar; si alli faxado entre pañales, aqui entre accidẽtes; alli grano entre pajas. aqui sacramentado te le comes; si en el Tabor le vieras vestido de nieue, aqui reuestido de blancura; si en la Ascension te le encubriera vna nube, aqui te le escõde vna hostia. Procura disponerte con la misma devocion, pues la realidad es la misma, auiuesse tu fe, y se despertarà tu afecto, crezca el feruor al passo que tu dicha.

P. 2. Pondera con que gozosa ternura fueras entrando por aquel portal de Belen tan vacio de alhajas, quan lleno de consuelos? Con quan cariñosa reuerẽcia te fueras acercando al pesebre, y enterneciendote cõ el humanado Dios; con que atenciones le assistieras? con que afectos le lográras, y no contentandote de mirarle, llegâras à tocarle, y abraçarle niño tierno, y tu enternecido. Auiua, pues, tu fe, alienta tu

tu tibia confiança, y llega oy, sino al pesebre, al altar; no te contentes con besarle, y abraçarle,
sino con comerle, abrigale cō
las telas del coraçon, y aprietale
dentro de tu mismo pecho; y si
en la Circuncision le vieras der-
ramar perlas en lagrimas, y rubies en sangre, precioso rescate
de tu alma, como te compadecieras? sin duda que esse coraçō,
excesso de los diamātes en la dureza, con la sangre de aquel herido corderito se ablandàra, hasta
destilarse a pedazos por los ojos.
Recoge oy, no algunas gotas de
su sangre, como entonces, sino
toda ella, dentro de tu coraçon;
y si alli procuràras acallarle alle-

gandole â tu pecho, mirale oy dentro del. Si en el Tabor desmayaras al verle sol de la belleza, y quando mucho le miraras de lexos; contemplale oy desde cerca, sea tu pecho vn Tabor, y tu coraçon el tabernaculo, exclamando con san Pedro, Señor bien estamos aqui, vos en mí, y yo en vos. Aqui le tienes resucitado, llega en compañia de la Virgen Madre, à gozar de aquellas fragrantes rosas de sus llagas, à reconocer entre aquellas cuchilladas de la carne, las entretelas brillantes de la diuinidad, y no solo te permite que le toques, y le adores, sino que le metas dẽtro de tu pecho. Detenle aqui tan glorioso,

co-

como ſubia al cielo, y conducele à tu coraçon, que no ſe te auſentará como alli, ſino q̃ entra triunfante en tus entrañas, ſea vn cielo tu pecho: deſpierta la fè, y renouarás la fruicion de todos eſtos miſterios, que el miſmo Señor real, y verdaderamente tienes aqui quando comulgas, que vieras, y gozaras en todas aquellas ocaſiones.

P. 3. Procura ſacar en eſta comunion, todos los prouechos, q̃ ſacáras ſi te hallaras preſente al miſterio que ſe celebra: y pues tienes al miſmo Señor real, y verdaderamente, que alli tuuieras, pidele las miſmas mercedes, ſabe pedir, à quien tambien ſabe

das: con que memoria quedaràs de auer visto, y gozado de tu Dios y Señor, en qualquier misterio de estos, sea pues oy igual tu gozo, pues lo es tu dicha: que hizieras de contarla entonces, agradecela aora, que no te intiman silencio, como à los Apostoles en el Tabor, antes solicitan tu deuocion à las diuinas alabãças. Que darè yo al Señor, dezia el Profeta Rey, en retorno de tantas mercedes: caliz por caliz, sea esta comunion gracias de la passada, assi como aquella fue disposicion para esta. Quien bastarà â sacarte del portal, vna vez dentro con los pastores? Quien baxarte del monte con los dicipulos, quien
mo-

mouerte del ſepulcro con las Ma rias? Aqui tienes todo eſſo en el Altar, y aũ mas cerca, pues en tu pecho, ſoſiega en la meditacion, y permanece en alabar, y glorifi-car al Señor, Amen.

MEDITACION XLVIII.

Para comulgar en las feſtiuidades de los Santos.

Facil fuera, pero prolixo, diſpo ner ſu eſpecial meditacion para comulgar en la feſtiuidad de cada ſanto; podrâ pues cada vno eſco ger alguna de las propueſtas, la q̃ viniere mas ajuſtada al dia, y á la vida del ſanto: pero ſi à alguno le pareciere, que comulgaria con mas deuocion, con alguna consideracion mas propia de la fiesta, eligirá algun passo, o circunstancia de la vida, que diga con la comunion, disponiendola en forma de meditacion, desta suerte.

Pun. 1. Considera algun fauor especial, que hizo el Señor a este santo; como si has de comulgar el dia de Santiago el Mayor, pōdera el lleuarle Christo consigo al Tabor, y comunicarle su gloria: buelue luego, y cōsidera, quā to mayor fauor obra el Señor cō tigo, pues no solo te permite à su lado, sino que se entra por tu pecho, procura pues disponerte á imitacion del santo, con singula-

la-

lares virtudes, para conseguir tã
especiales fauores. A san Mateo
le llamò, fuesse con èl á su casa, y
se dexò combidar dèl: a ti te llama oy el mismo Señor, entrase
por tu pecho, y te combida con
su precioso cuerpo. A san Felipe
le preguntò, de donde sacarian
el pan para los cinco mil combidados; à ti no te dificulta, sino q̃
te franquea el pan del cielo. Que
gozoso se hallò S. Andres, quando viò al Señor, y oyò dezir al
Bautista: he alli el corderito de
Dios, fuesse luego tras èl, y le pre
guntó donde moraua: oye como
te dize à ti lo mismo el Sacerdote, quando llegas, y te comes el
mismo cordero de Dios. Alegra
te

te con tu buena ſuerte el dia de ſan Matias, y preparate como vaſo de eleccion el dia del Apoſtol ſan Pablo, pues has de lleuar en tu pecho, no ſolo el nombre, ſino el cuerpo de el Señor; procura pues diſponerte como eſtos juſtos, que ſi ellos para recibir los fauores del Señor, tu al miſmo Señor, fuente de todas las miſericordias.

P. 2. Pondera como eſtos Sãtos eſtimarõ las mercedes del Señor, y las ſupieron lograr, conoce tu el fauor que te haze oy tan ſingular, ſabelo gozar, y agradecer: abraſate, pues, en el fuego de el amor, como Lorẽço, que ſi èl ſaçonò ſu cuerpo para la meſa de Dios,

Dios, oy el Señor saçona al fuego
del amor su cuerpo para tu comida. Si Ignacio se consideraua
trigo molido entre los dientes
de las fieras, para ser pan blanco,
y puro: el mismo Señor se te dâ
en pã, molido en su pàssion, y saçonado en amor. Si san Barto-
lome, siruió su cuerpo desollado
en el combite eterno, el Señor te
presẽta en comida su cuerpo todo acardenalado, y herido: si Sãtia
go era cõsanguineo de Christo, y
muy parecido a èl, tambien eres
tu consanguineo del Señor, pues
te alimẽtas de su carne, y sangre,
procura parecerle en todo, y aun
ser vna misma cosa con èl. Si san
Iosef fue el aumentado en los fa-
uo-

uores, el crecido en las dichas;
porque lleuó al niño Dios en sus
braços tantas vezes, tu que le tomas en tu boca, le guardas en tu
pecho, crece en la perfeccion, assi como en el fauor. A san Lucas
se le permitió sacar vna copia, à
ti el mismo original, imprimele
en las telas de tu coraçon.

P.3. Rindieron singulares gra
cias todos estos Sãtos al Señor,
por tan singulares mercedes: ex-
clamò esteuan, quãdo viò à Chri
sto assomado à los balcones del
cielo en pie; prorrumpe tu en a-
labanças al verle dentro de tu pe
cho; alabale cõ santa Teresa, por
que se desposó con tu alma, y la
ha engalanado con preciosas joyas

yas de virtudes. Si a Catalina le dió el anillo de oro, à ti la prenda de la gloria. Admirate con S. Agustin, de que aquel inmenso mar de Dios, quepa dentro del pequeño oyo de tu pecho. Ensalçale con san Ignacio, de que no solo en Roma, sino en todas partes te sea fauorable, y propicio, el que à san Francisco le imprimiò sus llagas, y à san Bernardo franqueó su costado, oy se te entrega todo, y se imprime en tu coraçon: sabe reconocer tu fauor, y sabràs estimarle, procurando lograrle, y agradecerle por todos los siglos.
Amen.

(*)

CO-

COMVNION XLIX.

Recopilacion de otras muchas Meditaciones.

Conforme à las Meditaciones que aqui se han propuesto, puedes tu sacar otras, que por ser hijas de la propia consideracion, y auerte costado trabajo, suelē despertar mayor deuocion: de esta suerte.

Punto primero. Considera el afecto con que vn niño desea el pecho materno, con que conato se abalança á èl, aprietale el hābre, obligale el cariño, y assi llora, y se deshaze, hasta que le cōsigue. Cō este mismo afecto hasde de-

desear tu llegar á comulgar, llora, suspita, gime, ora, y pide el pecho de Christo: gran consideracion del Boca de oro. Pia como el polluelo del Pelicano, por el pecho abierto del autor de tu vida. Clama como el hijuelo del cueruo, viendose desamparado, por el rocio celestial. Apetece carleãdo como el sedięto caminante la fuente de aguas viuas: busca el sazonado grano, como la solicita ormiguilla, y como el perrillo las migajas de pan de la mesa de su Señor: desta suerte te deues preparar con lagrimas, y suspiros, con affectos, y diligencias, con oraciones, y mortificaciones, para la sagrada comuniõ, que

que quantos mas intensos fueren los deseos con que llegares, mas colmados serán los frutos que sacaràs.

P. 2. Pondera el conato, con q́ el tierno corderillo corre à tomar el pecho de su madre, con q̃ cariño le tira, con que gusto le chupa: llega tu à la sagrada comuniõ con igual ahinco a tu necessidad, con tanto gusto, quanto el conocimiento; acude cõ la presteza, que el polluelo â coger el grano del pico de la amorosa madre que le llama, recogiendote despues baxo las alas de los braços de Christo estendidos en la Cruz. Abalançate con el gusto que el sediento enfermo al vaso de de la fresca bebida. Acercate cõ el consuelo, que el elado caminãte al fuego, que le fomenta. Goza, gusta, come, y saboreate con este pan del cielo, juntando el gozo con el logro, experimentãdo los celestiales gustos, y sacando los multiplicados prouechos.

P. 3. Dale gracias à este Señor, que te ha alimẽtado con su cuerpo, y cõ su sãgre, como el niño q̃ despues de auerse repastado en el sabroso pecho de su madre, se la rie, la abraça, y la haze fiestas. Saluda muchas vezes, como el derrotado nauegãte la tierra dõde llegó a tomar puerto: recibe con hazimiento de gracias, y como el pobre mendigo el pedazo

 de

de pan que se le dà cada dia à la puerta del rico, echandole bẽdiciones. Postrate como rescatado cautiuo à los pies de tu vnico Redentor. Recibe este Señor como à Padre, hermano, amigo, abogado, fiador, padrino, protector, amparo, sol que te alũbra, puerto que te recibe, asilo que te acoge, centro donde descansas, principio de todos tus bienes, medio de tus felicidades, y fin de tus deseos, por todas las eternidades de las eternidades, Amen.

MEDITACION L.

Para recibir el Santissimo Sacramento por viatico.

Punto primero. Cõsiderate ya her-

hermano mio, de partida desta vida mortal para la eterna, y aduierte, que para vn tan largo viage, gran preuencion es menester de todas las cosas, especialmẽte deste pan de vida, para el passo de tu cercana muerte. Vàs deste mũdo al otro, desde essa cama al tribunal de Dios; mira pues como te deues preuenir cõ vna buena, y entera confession, y con vna feruorosa, y santa comuniõ Leuantate, y come, le dixo el Angel al Profeta Elias, porque te queda gran jornada que hazer: oye como te dize àti lo mismo el Angel de vn buẽ cõfessor, que te desengaña de tu peligro Hermano mio, leuanta tu coraçon a Dios,

de las criaturas al Criador, del
suelo al cielo de las cosas terrenas à las eternas, q̃ no sabes si te
leuantaràs mas de essa cama, come bien, que se te espera largo, y
peligroso camino; mira que has
de andar sendas nunca andadas
por regiones de ti nunca vistas:
procura hazer esta comuniõ con
circunstancias de vltima, con las
perfecciones de postrera, echando el resto de la deuocion. Mira
que te despides del comulgar, co
nozcase tu cariño à este diuinissimo Sacramẽto, en la ternura cõ
que le recibes esta vltima vez: fixa en este blãco essos ojos, q̃ tan
presto se han de cerrar, para nunca mas ver en esta mortal vida,
sean

seã perenes fuentes de llanto oy,
las que mañana se han de secar;
essa boca, que tan presto se ha de
cerrar para nunca mas abrirse, a-
brela oy, y dilatala biẽ, para que
te la llene de dulçura este sabroso
manjar; aduierte que es mana escondido, y te endulçará el amargo trago de la muerte, q̃ por pũ-
tos te amenaça, dè vozes essa lẽgua pidiendo perdon, antes que
de todo punto se pegue al paladar: esse pecho, que se và enron-
queciẽdo, arroje suspiros de dolor: esse coraçon, que tan presto
ha de parar en manjar de gusanos, apacientese del verdadero
cuerpo de Christo, que se llamo
gusano de la tierra: essas entrañas,

ñas q̃ por instantes vàn perdien-
do el aliento de la vida, confor-
tense con esta cõfeccion de la in-
mortalidad; y todo tu, hermano
mio, que tan en breue has de re-
soluerte en poluo, y en ceniza,
procura trãsformarte en este Señor Sacramẽtado, para q̃ de essa
suerte èl permanezca en ti, y tu
en èl por toda vna eternidad de
gloria.

P. 2. Auiua tu fe, hermano mio
y cõsidera q̃ recibes en esta hostia a aquel Señor q̃ dentro de pocas horas èl mismo te ha de juz-
gar, èl viene aora a ti, y tu irás
luego à èl, este es el Señor q̃ te ha
de tomar estrecha cuenta de toda tu vida, desde essa cama has
de

de ser lleuado ante su riguroso
tribunal; mira pues que aora te
combida con el perdon, si entonces te aterrarà cō el temido caf-
tigo, aqui se dexa sobornar con
dadiuas, presentale tu coraçon
contrito, y lleno de pesar de auerle ofendido, aqui se vence con la
grimas, alli no valdrā ruegos: arrojate ante este tribunal de su misericordia, no aguardes al de su
justicia. Eucaristia se llama, que
quiere dezir gracia, y perdon, no
dilates al del rigor; aqui està hecho vn cordero tan manso, que
te le comes, allá vn leon tan brauo, que te despedaçarà, si te halla
re culpado; aqui calla, y dissimula
culpas; alli vozea, y fulmina rigo

res. Echate á ſus pies con tiempo, que mientras tenemos eſte, dize el Apoſtol, auemos de obrar biẽ, y negociar nueſtra ſalud eterna. Clama con el penitente Rey, Señor, perdon grande, ſegũ vueſtra gran miſericordia, y ſegun la gran multitud de mis pecados: *Miſerere mei Deus, ſecũdũ magnã miſericordiã tuã*: hiere tu pecho cõ el Publicano, diziẽdo: Señor mio, y Dios mio, ſed propicio, y fauorable cõ eſte miſerable pecador: *Dñe propitius eſto mihi peccatori*: grita con el ciego de Gericó; Señor mio, vea yo eſſe vueſtro agradable roſtro, que deſean ver los Angeles: *Domine vt videã* cõfieſſa tus errores como el Prodidigo: Padre mio, q̃ no me podeis negar de hijo, pequè, yo lo cõfiesso, contra el cielo, y contra vos. *Pater peccaui in cœlũ, & corã te,* recibidme en vuestra casa, aya para mi vn rincon en vuestro cielo: da vozes con la Cananea, Iesus hijo de Dauid, aunq̃ mejor diràs: Iesus hijo de Maria la misericordiosa, apiadaos desta mi alma, que me la quiere maltratar el demonio, *Iesu fili Mariæ miserere mei, quia anima mea male à dæmonio vexatur.* Ay, Señor, fauor, q̃ me la quiere tragar: pide, i ruega cõ el ladron: Señor, acordaos de mi, ladrõ tãbien de vuestras misericordias, aora que estais en vuestro Reyno: *Domine*

me:

memento mei cũ veneris in Regnũ tuum, alegrame Señor con aquella dulcissima respuesta, *hodiè*, oy mismo, *mecum*, conmigo, *eris*, tu mismo estaras, *in paradyso*, en mi gloria, Amen.

P. 3 Y a que has recibido este diuino Señor sacramentado, y metidole dentro de tu pecho, exclama, hermano mio, cõ el santo viejo Simeon: *Nunc dimittis seruum tuum Domine, secundum verbũ tuũ in pace*; aora si, Señor mio que morirè cõ consuelo, pues en paz cõ vos: di cõ el Profeta Rey: *In pace in idipsũ dormiam, & requiescã*, aora si, Señor, q̃ dormire y descãsarè en paz, y en vos mismo, de vos sacramentado, irè à

vos.

vos glorioso; de vn Dios que he recibido en mi pecho, à vn Dios que me reciba en su cielo, y pues aqui he llegado á vnirme cō vos por la comunion, allà espero vnirme con vos por la bienauenturança. Repite cō S. Pablo: *Mihi viuere Christus est, & mori lucrum*; mi muerte es mi ganancia, porque muriendo en Christo, viuirè à Christo. Ofrecele tu alma con S. Esteuā: *Domine Iesu accipe spiritum meum*: dulcissimo Iesus, y mas en esta hora, Iesus, y Saluador mio, recibid mi espiritu; di tambien con el mismo Iesus: *Pater in manus tuas cōmendo spiritum meum*: Padre mio amantissimo en vuestras manos encomiē do, do mi espiritu, de ellas saliò, á ellas ha de boluer: oye que te responde: *Noli timere, ego protector tuus sũ, & merces tua magna nimis.* No temas, que aqui estoy yo tu protector, y tu amparo, y la merced que recibiràs de mi mano será grande de todas maneras: no desconfies por tus culpas, pues son tantas mis misericordias, pide, y te darân, esto es, perdon, gracia, y eterna gloria.

P. 4. Despues de tantos fauores recibidos, bien puedes rendir las deuidas gracias; canta como el cisne quando muere cõ mayor ternura, y sea vn cantar nueuo, començandole aqui, y cõtinuandole eternamente allà en el el cielo: *Misericordias Domini in æternũ cantabo* Eternaméte alabarè, y bendezirè a vn tan buen Dios, y Señor, y ſino puedes ya con la lengua, habla con el coraçon, ſino pueden mouerſe tus labios, mueuanſe ſus alas, y conmueuanſe tus entrañas: eſtima la merced, que te ha hecho el Rey del cielo, que él te ha venido á ver à ti, para que tu le vayas à ver allá, prenda es eſta de la gloria, empeñadoſeha el Señor, vinoſe á deſpedir de ti Sacramentado, en ſeñal de lo que te ama, y q̃ te recibirà glorioſo, vino a tu caſa, para q̃ tu vayas a ſu cielo: exclama con el Sãto Rey: *Lætatus ſum in his, quæ dicta ſunt mihi, in* do-

domũ domini ibimus; ò q̃ buenas nueuas me han dado, que he de ir oy a la casa de mi Señor! acaba cõ aquellas gozosas palabras con q̃ espirò el humilde san Francisco: *Me expectãt iusti donec retribuas mihi.* Ay que me estã esperando los cortesanos del cielo para admitirme en su dulce compañia, no irè solo, sino que irèmos; irá acompañada mi alma de la Virgen Santissima mi Madre, y mi Señora, del santo de mi nombre, del Angel de mi guarda, de los Santos mis patrones, y abogados: y si aun estás agonizando, careate con Christo Crucificado, y consuelate con èl: considera que à tu Señor le dieron hiel, y vi-

vinagre en ſu mayor agonia, y à ti te ha dado el miſmo Señor ſu carne, y ſangre en la tuya; èl murió en braços de vna cruda Cruz, y tu mueres en los braços del miſmo Señor, ſiempre abiertos para ti: à Chriſto le abrieron el coſtado cō la dura lāça, y èl ha ſellado tu coraçon con eſta ſacratiſsima hoſtia; inclina ſu cabeça, y te mueſtra la llaga de ſu coſtado, diziendote, entres por eſſa puerta, ſiēpre patente, al paraiſo, donde alabes, contemples, veas, ames, y gozes tu Dios, y Señor, por todos los ſiglos de los ſiglos. Amen. Ieſus, Ieſus, Ieſus, y Maria ſean en mi compañia, Amen.

ERRATAS:

Pàg.53.lin.10.dignidad,dig.indignidad.

P.103.l.12.que ha,dig.que has

P 178.lin.19:arco,dig.arreo.

P.216.lin 4.sus,diga tus.

P.220.lin.11 sos,diga sois.

P.237:lin.1.dicha,dig.dichosa

P.242 lin.3.merdedes,dig.mercedes.

P.250.l.17.certeja,dig.corteja

P.209.lin.3.rebouiole,dig.reboluiole.

P.373,lin.3.entra,dig.entrara.